Pierrot et autres nouvelles

Dans la même collection

Lire en anglais

Thirteen Modern English and American Short Stories
Seven American Short Stories
Nine English Short Stories
A Long Spoon
Simple Arithmetic and Other American Short Stories
Roald Dahl : **Someone Like You**
Roald Dahl : **The Hitch-Hiker**
Somerset Maugham : **The Escape**
Somerset Maugham : **The Flip of a Coin**
F. Scott Fitzgerald : **Pat Hobby and Orson Welles**
Ray Bradbury : **Kaleidoscope**
Ray Bradbury : **The Martian Chronicles**
Saki : **The Seven Cream Jugs**
John Steinbeck : **The Snake**
William Faulkner : **Stories of New Orleans**
Ernest Hemingway : **The Killers**
Ernest Hemingway : **The Old Man and the Sea** (à paraître)
Truman Capote : **Breakfast at Tiffany's**
Patricia Highsmith : **Please Don't Shoot the Trees**
Fred Uhlman : **Reunion** (à paraître)
James Joyce : **Dubliners** (à paraître)

Lire en allemand

Moderne Erzählungen
Deutsche Kurzgeschichten
Zwanzig Kurzgeschichten des 20. Jahrhunderts
Geschichten von heute
Heinrich Böll : **Der Lacher**
Heinrich Böll : **Die verlorene Ehre der Katharina Blum** (à paraître)
Stefan Zweig : **Schachnovelle** (à paraître)

Lire en espagnol

Cuentos del mundo hispánico
Cuentos selectos
Cuentos fantásticos de América
Cuentos de América. Destinos
Los cuentos vagabundos y otros de España
Jorge Luis Borges : **La Intrusa y otros cuentos**

Lire en italien

L'Avventura ed altre storie
Novelle italiane del nostro secolo
Italo Svevo : **La novella del buon vecchio e della bella fanciulla**

Lire en portugais

Contos contemporâneos (Portugal/Brasil)

Lire en français

Nouvelles françaises contemporaines

LIRE EN FRANÇAIS
Collection dirigée par Henri Yvinec

Guy de Maupassant

Pierrot et autres nouvelles

Choix et annotations par Joël Amour
Professeur agrégé de lettres modernes

et Joan Amour
B.A. (Lond), Professeur agrégé d'anglais

Le Livre de Poche

Sommaire

After a few years spent studying a foreign language, it is natural to want to discover its literature. The student's vocabulary, however, often proves inadequate and the constant use of a dictionary is irksome. This new collection is designed to remedy this state of affairs. It makes it possible to read alone, without a dictionary or a translation, thanks to notes situated immediately opposite the foreign text.

Abréviations

adj. *adjectif*

démonst. *démonstratif*

fam. *familier*

f. *féminin*

fig. *figuré*

fut. *futur*

infin. *infinitif*

m. *masculin*

nég. *négatif*

p. *page*

part. *participe*

pers. *personnel*

pl. *pluriel*

poss. *possessif*

prés. *présent*

pron. *pronom*

qqn. *quelqu'un*

qqch. *quelque chose*

rel. *relatif*

sb. *somebody*

sth. *something*

subj. *subjonctif*

≠ *contraire, différent de*

< *provenant de*

Tout naturellement, après quelques années d'étude d'une langue étrangère, naît l'envie de lire dans le texte. Mais, par ailleurs, le vocabulaire dont on dispose est souvent insuffisant. La perspective de recherches lexicales multipliées chez le lecteur isolé, la présentation fastidieuse du vocabulaire, pour le professeur, sont autant d'obstacles redoutables. C'est pour tenter de les aplanir que nous proposons cette nouvelle collection.

Celle-ci constitue une étape vers la lecture autonome, sans dictionnaire ni traduction, grâce à des notes facilement repérables. S'agissant des élèves de lycée, les ouvrages de cette collection seront un précieux instrument pédagogique pour les enseignants en langues étrangères puisque les recommandations pédagogiques officielles (Bulletin officiel de l'Éducation nationale du 9 juillet 1987 et du 9 juillet 1988) les invitent à "faire de l'entraînement à la lecture individuelle une activité régulière" qui pourra aller jusqu'à une heure hebdomadaire. Ces recueils de textes devraient ainsi servir de complément à l'étude de la civilisation. Celle-ci sera également dans des volumes consacrés aux presses étrangères.

Le lecteur trouvera donc :
En page de gauche
Des textes contemporains — nouvelles ou courts romans — choisis pour leur intérêt littéraire et la qualité de leur langue.

En page de droite

Des notes juxtalinéaires rédigées dans la langue du texte, qui aident le lecteur à

Comprendre

Tous les mots et expressions difficiles contenus dans la ligne de gauche sont reproduits en caractères gras et expliqués dans le contexte.

Observer

Des notes d'observation de la langue soulignent le caractère idiomatique de certaines tournures ou constructions.

Apprendre

Dans un but d'enrichissement lexical, certaines notes proposent enfin des synonymes, des antonymes, des expressions faisant appel aux mots qui figurent dans le texte.

Grammaire

Le lecteur trouvera, au moins pour les nouvelles courtes et sous des formes diverses selon les volumes, un rappel des structures rebelles les plus courantes. C'est-à-dire des tournures les plus difficilement assimilées par les francophones. Des chiffres de référence renverront au contexte et aux explications données dans les *Grammaires actives* (de l'anglais, de l'allemand, de l'espagnol, du portugais...) publiées au *Livre de Poche*.

Vocabulaire

En fin de volume une liste de 2 300 mots environ contenus dans les nouvelles, suivis de leur traduction, comporte, entre autres, les mots qui n'ont pas été annotés faute de place ou parce que leur sens était évident dans le contexte. Grâce à ce lexique, on pourra, en dernier recours, procéder à quelques vérifications ou faire un bilan des mots retenus au cours des lectures.

Henri YVINEC.

Guy de Maupassant (1850-1893)

Guy de Maupassant est né le 5 août 1850 près de Dieppe et mort à Paris en juillet 1893 dans la clinique du docteur Blanche, où il était entré dix-huit mois plus tôt, atteint d'une syphilis tertiaire et sachant qu'il n'en sortirait plus.

Il eut un frère cadet, Hervé, qui mourut en 1889 dans un hôpital psychiatrique. Sa mère était de haute bourgeoisie normande et une amie d'enfance de Flaubert. Son père vivait dans l'aisance, mais, alors que Guy avait neuf ans, il dut aller travailler dans une banque à Paris. Peu de temps après, ses parents se séparèrent.

Sa jeunesse s'écoule en Normandie entre Rouen, Fécamp et Étretat. Un an à Paris, puis à nouveau la Normandie et, d'octobre 1863 au printemps 1866, le pensionnat, qu'il supporte très mal, chez des prêtres, à Yvetot. Pendant les vacances, il exerce sa passion pour l'eau et les bateaux. Un été, il a l'occasion de sauver de la noyade le poète anglais Swinburne. Il finit ses études secondaires au lycée de Rouen, à nouveau comme pensionnaire, et vient à Paris faire des études de droit. Il est mobilisé pendant la guerre franco-prussienne, déclarée en juillet 1870, manque de peu d'être fait prisonnier et quitte l'armée avant la fin de 1871.

En 1872, il est attaché au ministère de la Marine, à la bibliothèque. Il pratique les sports où il excelle, canotage, voile, escrime, tir, fréquente une joyeuse bande d'amis et d'amies, commence à écrire sous la sévère férule de Flaubert. *La Main d'écorché* est en 1875 son premier conte publié. Il s'essaie au théâtre, sans trop de succès, à la poésie et à la critique. Il fait la connaissance d'écrivains importants comme Tourgueniev, Edmond de Goncourt, Zola, Mallarmé, Huysmans. En 1879, il passe de la Marine à l'Instruction publique et continue à publier de petites œuvres dans des revues ou à remanier ses pièces de théâtre.

En 1880 paraît le recueil collectif de nouvelles *Les Soirées de Médan,* considéré comme le manifeste de l'école naturaliste. Six écrivains, dont Zola et Huysmans, y participent, mais c'est le conte de Maupassant *Boule de suif* qui est reconnu comme le chef-d'œuvre. Quelques jours après cette publication, Flaubert meurt.

Maupassant va collaborer d'une manière régulière à deux journaux de l'époque, *Le Gaulois* et *Gil Blas,* où ses contes paraissent en feuilleton. Il publie son premier livre de nouvelles, *La Maison Tellier,* en 1881. Dans les dix années suivantes, tant que son état de santé le lui permettra, il ne cessera d'écrire et multipliera les voyages, en Algérie, en Corse, en Italie, en Provence, en Normandie, en Bretagne, en Sicile, en Angleterre, en Tunisie, en Suisse, sans compter de longues croisières en Méditerranée sur son bateau le *Bel-Ami,* des séjours dans plusieurs villes de cure et même un voyage en ballon. Au tout début de 1892, il tente de se trancher la gorge, puis est admis en clinique.

Maupassant ne s'est pas marié. Il avait refusé de devenir

franc-maçon, d'être décoré de la Légion d'honneur et d'entrer à l'Académie française.

Son œuvre romanesque se répartit en six romans et plus de trois cents nouvelles pour la plupart très brèves. C'est pour ces dernières qu'il est le plus estimé, mais lui-même préférait ses romans. Il a écrit aussi de nombreux articles de journaux et trois volumes de récits de voyages.

Évidemment marqué par Flaubert, qui l'a initié aux lettres, et par le mouvement naturaliste, Maupassant n'a pas imité et s'est forgé sa propre manière. Il a vite exprimé ses réserves à l'égard d'un naturalisme dogmatique et peu ouvert à la poésie, tout en manifestant son mépris de l'écriture « artiste », prisée autour d'Edmond de Goncourt. La Préface de son roman *Pierre et Jean* (1884) développe ses idées sur l'art du romancier réaliste qui doit communiquer sa « vision personnelle du monde (...) plus probante que la réalité même », renoncer à « montrer la photographie banale de la vie » et « donner l'illusion complète du vrai ».

Les nouvelles de Maupassant sont habituellement groupées en trois grands cycles : les paysans normands, la société parisienne, les contes fantastiques.

On a tenté ici un groupement sous forme de bestiaire.

Œuvres de Maupassant
parues dans Le Livre de Poche

Nouvelles (recueils) : *Boule de suif*, 1880 - *La Maison Tellier*, 1881 - *Mademoiselle Fifi*, 1882 - *Contes de la bécasse*, 1883 - *Miss Harriett*, 1884 - *Contes du jour et de la nuit*, 1885 - *La Petite Roque*, 1886 - *Le Horla*, 1887 - *Le Rosier de Mme Husson*, 1888.

Romans : *Une vie*, 1883 - *Bel-Ami*, 1885 - *Mont-Oriol*, 1887 - *Pierre et Jean*, 1888 - *Fort comme la mort*, 1889.

PIERROT

Ce conte, intégré en 1883 dans le recueil *Contes de la bécasse,* fut publié huit fois du vivant de Maupassant, souvent dans d'importants journaux ; c'est dire le succès qu'il a rencontré. C'est pourtant un des plus sombres et des plus misanthropiques qui soient. En bon émule de Flaubert, Maupassant traque la bêtise humaine et la condamne sans appel. L'avarice et la fausse sensiblerie entraînent Mme Lefèvre, « dame de campagne », à commettre une action abominable, presque malgré elle.

La férocité inutile est du côté de l'humanité et non des bêtes, victimes déchirantes, mais sans doute — horreur ! — pas complètement inconscientes de leur sort. La loi du plus fort, le chien Pierrot, « un étrange petit animal tout jaune », la connaît par instinct. Il sait que c'est d'abord celle des hommes, et qu'il n'y peut rien.

Pas plus, d'ailleurs, que la pauvre servante Rose.

Madame Lefèvre était une dame de campagne, une veuve, une de ces demi-paysannes à rubans et à chapeaux falbalas, de ces personnes qui parlent avec des cuirs, prennent en public des airs grandioses, et cachent une âme de brute prétentieuse sous des dehors comiques et chamarrés, comme elles dissimulent leurs grosses mains rouges sous des gants de soie écrue.

Elle avait pour servante une brave campagnarde toute
10 simple, nommée Rose.

Les deux femmes habitaient une petite maison à volets verts, le long d'une route, en Normandie, au centre du pays de Caux.

Comme elles possédaient, devant l'habitation, un étroit jardin, elles cultivaient quelques légumes.

Or, une nuit, on lui vola une douzaine d'oignons.

Dès que Rose s'aperçut du larcin, elle courut prévenir Madame, qui descendit en jupe de laine. Ce fut une désolation et une terreur. On avait volé, volé Mme
20 Lefèvre ! Donc, on volait dans le pays, puis on pouvait revenir.

Et les deux femmes effarées contemplaient les traces de pas, bavardaient, supposaient des choses : « Tenez, ils ont passé par là. Ils ont mis leurs pieds sur le mur ; ils ont sauté dans la plate-bande. »

Et elles s'épouvantaient pour l'avenir. Comment dormir tranquilles maintenant !

Le bruit du vol se répandit. Les voisins arrivèrent, constatèrent, discutèrent à leur tour ; et les deux femmes
30 expliquaient à chaque nouveau venu leurs observations et leurs idées.

campagne, f. ≠ ville

veuve : son mari est mort □ **à :** portant des... □ **ruban(s),** m. :
étoffe décorative □ le **chapeau** couvre la tête □ **falbalas,** m. pl. :
ornements excessifs □ **cuir(s),** m. : faute de liaison

cachent : dissimulent □ **âme :** esprit □ **dehors,** m. : apparence
extérieure □ **chamarré(s) :** rendu plus joli

le **gant** protège la main □ **soie :** étoffe

écru(e) : naturel

brave (avant le nom) : d'un bon caractère □ **campagnard(e)** =
paysan(ne) : qqn. qui vit de la terre □ **nommé(e) :** appelé

habitaient : vivaient dans □ **volet(s) :** panneau mobile ajouté à
une fenêtre □ **route :** voie entre deux villes

pays : région □ la **Caux :** partie de la Normandie entre Rouen,
Dieppe et Étretat

étroit ≠ large □ **jardin :** terrain près d'une maison □ **légume(s),**
m. : plante alimentaire □ **or... :** commence un récit □ **vola :**
emporta □ **dès :** aussitôt □ **s'aperçut d(e) :** remarqua □ **courut
prévenir :** alla vite informer □ **jupe,** f. : vêtement de femme □
laine, f. : textile provenant du mouton

donc : par conséquent □ **pays :** (ici) les environs □ **puis :** en plus
revenir : venir une seconde fois

effaré(es) : troublé par la peur □ **pas,** m. : mouvement des pieds
dans la marche □ **bavardaient :** parlaient beaucoup □ **tenez** =
voyez donc ! □ **mis :** posé □ **mur :** construction en maçonnerie
sauté : marché sur □ **plate-bande :** bordure de fleurs

s'épouvantaient : avaient une peur horrible □ **avenir,** m. : futur
dormir : passer la nuit dans son lit □ **maintenant :** à présent
bruit : rumeur □ **vol** = larcin (l. 17) □ **répandit :** propagea □
voisin(s) : celui qui habite à côté □ **constatèrent :** observèrent □
à leur tour : après les autres □ **nouveau venu :** qqn. qui vient
d'arriver

Un fermier d'à côté leur offrit ce conseil : « Vous devriez avoir un chien. »

C'était vrai, cela ; elles devraient avoir un chien, quand ce ne serait que pour donner l'éveil. Pas un gros chien, Seigneur ! Que feraient-elles d'un gros chien ! Il les ruinerait en nourriture. Mais un petit chien (en Normandie, on prononce *quin*), un petit freluquet de *quin* qui jappe.

Dès que tout le monde fut parti, Mme Lefèvre discuta
10 longtemps cette idée de chien. Elle faisait, après réflexion, mille objections, terrifiée par l'image d'une jatte pleine de pâtée ; car elle était de cette race parcimonieuse de dames campagnardes qui portent toujours des centimes dans leur poche pour faire l'aumône ostensiblement aux pauvres des chemins, et donner aux quêtes du dimanche.

Rose, qui aimait les bêtes, apporta ses raisons et les défendit avec astuce. Donc il fut décidé qu'on aurait un chien, un tout petit chien.

20 On se mit à sa recherche, mais on n'en trouvait que des grands, des avaleurs de soupe à faire frémir. L'épicier de Rolleville en avait bien un, un tout petit ; mais il exigeait qu'on le lui payât deux francs, pour couvrir ses frais d'élevage. Mme Lefèvre déclara qu'elle voulait bien nourrir un « quin », mais qu'elle n'en achèterait pas.

Or, le boulanger, qui savait les événements, apporta, un matin, dans sa voiture, un étrange petit animal tout jaune, presque sans pattes, avec un corps de crocodile,
30 une tête de renard et une queue en trompette, un vrai panache, grand comme tout le reste de sa personne. Un client cherchait à s'en défaire. Mme Lefèvre trouva fort

fermier, m.: cultivateur □ **à côté**: à proximité □ **conseil**: avis
devriez: conditionnel de devoir □ **chien**: animal domestique
vrai: conforme à la vérité, correct
quand (...) que = même si c'était seulement □ **éveil**, m.: (ici)
alarme □ **Seigneur !**: mon Dieu !
en = en dépenses de □ **nourriture**, f.: alimentation
freluquet, m.: être maigre et petit
jappe: crie comme un jeune chien
tout le monde = tous les gens □ **fut parti**: passé antérieur
longtemps ≠ brièvement

jatte: récipient rond □ **plein(e)**: rempli □ **pâtée**, f.: purée pour
les animaux domestiques □ **portent**: ont sur elles, avec elles
centime(s), m: centième du franc □ **poche**, f.: partie d'un
vêtement □ **aumône**, f.: don □ **pauvre(s)** ≠ riche □ **chemin(s)**,
m.: passage en terre □ **quête(s)**, f.: collecte d'argent à l'église
bête(s), f.: animal □ **apporta**: donna
astuce, f.: finesse, intelligence

se mit à: commença □ **trouvait**: découvrait
avaleur(s), m.: gros mangeur □ **à** = de nature à □ **frémir**:
trembler □ **épicier**, m.: qqn. qui tient une boutique d'alimentation générale □ **exigeait**: réclamait □ **payât**: subjonctif
imparfait □ **frais**, m. pl.: dépenses □ **élevage**, m.: soins des
jeunes animaux □ **nourrir**: donner à manger à
achèterait: paierait pour avoir (un chien)
le boulanger fait le pain □ **apporta**: porta chez (elle)
voiture, f.: véhicule
presque: à peu près □ **patte(s)**, f.: jambe d'un animal □ **corps**:
tout l'organisme □ **renard**, m.: animal □ **queue** ≠ tête □ **en**
trompette: relevé(e) □ **panache**: ornement de plumes
cherchait à: voulait □ **s'en défaire**: le donner □ **trouva**: jugea

beau ce roquet immonde, qui ne coûtait rien. Rose l'embrassa, puis demanda comment on le nommait. Le boulanger répondit : « Pierrot. »

Il fut installé dans une vieille caisse à savon et on lui offrit d'abord de l'eau à boire. Il but. On lui présenta ensuite un morceau de pain. Il mangea. Mme Lefèvre, inquiète, eut une idée : « Quand il sera bien accoutumé à la maison, on le laissera libre. Il trouvera à manger en rôdant par le pays. »

10   On le laissa libre, en effet, ce qui ne l'empêcha point d'être affamé. Il ne jappait d'ailleurs que pour réclamer sa pitance ; mais, dans ce cas, il jappait avec acharnement.

Tout le monde pouvait entrer dans le jardin. Pierrot allait caresser chaque nouveau venu, et demeurait absolument muet.

Mme Lefèvre cependant s'était accoutumée à cette bête. Elle en arrivait même à l'aimer, et à lui donner de sa main, de temps en temps, des bouchées de pain 20 trempées dans la sauce de son fricot.

Mais elle n'avait nullement songé à l'impôt, et quand on lui réclama huit francs — huit francs, madame ! — pour ce freluquet de *quin* qui ne jappait seulement point, elle faillit s'évanouir de saisissement.

Il fut immédiatement décidé qu'on se débarrasserait de Pierrot. Personne n'en voulut. Tous les habitants le refusèrent à dix lieues aux environs. Alors on se résolut, faute d'autre moyen, à lui faire « piquer du mas ».

« Piquer du mas », c'est « manger de la marne ». On 30 fait piquer du mas à tous les chiens dont on veut se débarrasser.

Au milieu d'une vaste plaine, on aperçoit une espèce

roquet, m. : petit chien détestable □ **immonde :** abject

embrassa : prit dans ses bras □ **demanda :** interrogea pour savoir □ **répondit :** donna la réponse (suivante)

installé : placé □ **caisse :** coffre en bois □ **savon,** m. : substance utilisée pour laver □ **d'abord :** avant tout □ **but :** passé simple de boire □ **ensuite :** après cela □ **morceau :** bout, pièce

inquiète : anxieuse

laissera : permettra d'être □ **libre :** en liberté

rôdant : allant çà et là

en effet : réellement □ **ne l'empêcha point :** ne l'arrêta pas

affamé : avec une grande faim □ **d'ailleurs :** de plus

pitance : repas peu luxueux

demeurait : restait

muet : silencieux

cependant : pendant ce temps

en arrivait... à : en venait finalement à

bouché(es), f. : quantité d'aliments contenue dans la bouche

trempé(es) : plongé □ **fricot :** ragoût grossier

nullement : pas du tout □ **songé :** pensé □ **impôt,** m. : taxe

seulement : (ici) même

faillit : fut sur le point de □ **s'évanouir de saisissement :** perdre connaissance sous le choc □ **se débarrasserait :** ferait partir définitivement

lieue(s), f. : 4 kilomètres □ **aux environs :** tout autour □ **résolut :** décida □ **faute d' :** par manque d' □ **moyen,** m. : ressource □ **piquer :** (familier) prendre □ **mas** = **marne :** terre argileuse et calcaire qui sert à fertiliser

milieu : centre □ **espèce :** sorte

de hutte, ou plutôt un tout petit toit de chaume, posé sur le sol. C'est l'entrée de la marnière. Un grand puits tout droit s'enfonce jusqu'à vingt mètres sous terre, pour aboutir à une série de longues galeries de mines.

On descend une fois par an dans cette carrière, à l'époque où l'on marne les terres. Tout le reste du temps, elle sert de cimetière aux chiens condamnés ; et souvent, quand on passe auprès de l'orifice, des hurlements plaintifs, des aboiements furieux ou désespérés, des 10 appels lamentables montent jusqu'à vous.

Les chiens des chasseurs et des bergers s'enfuient avec épouvante des abords de ce trou gémissant ; et, quand on se penche au-dessus, il sort de là une abominable odeur de pourriture.

Des drames affreux s'y accomplissent dans l'ombre.

Quand une bête agonise depuis dix à douze jours dans le fond, nourrie par les restes immondes de ses devanciers, un nouvel animal, plus gros, plus vigoureux certainement, est précipité tout à coup. Ils sont là, seuls, 20 affamés, les yeux luisants. Ils se guettent, se suivent, hésitent, anxieux. Mais la faim les presse : ils s'attaquent, luttent longtemps, acharnés ; et le plus fort mange le plus faible, le dévore vivant.

Quand il fut décidé qu'on ferait « piquer du mas » à Pierrot, on s'enquit d'un exécuteur. Le cantonnier qui binait la route demanda dix sous pour la course. Cela parut follement exagéré à Mme Lefèvre. Le goujat du voisin se contentait de cinq sous ; c'était trop encore ; et, Rose ayant fait observer qu'il valait mieux qu'elles le 30 portassent elles-mêmes, parce qu'ainsi il ne serait pas brutalisé en route et averti de son sort, il fut résolu qu'elles iraient toutes les deux à la nuit tombante.

toit : partie qui couvre une maison □ **chaume, m.** : paille séchée

sol : surface de la terre □ **marnière** : mine de marne □ **puits** : trou profond □ **s'enfonce** : pénètre □ **jusqu'à** : sur un minimum de □ **aboutir à** : finir par

carrière : mine (de matières non métalliques)

marne : répand de la marne

sert de : est utilisé(e) comme

auprès : tout près □ **hurlement(s)** : cri de douleur prolongé

aboiement(s) : cri spécifique du chien

appel(s), m. : demande de secours

berger(s), m. : qqn. qui garde les moutons □ **s'enfuient** : partent en courant □ **abords, m. pl.** : proximité □ **gémissant** : plaintif

se penche : s'incline □ **au-dessus** = sur (le trou)

pourriture, f. : putréfaction

affreux : atroce □ **s'accomplissent** : ont lieu □ **ombre, f.** ≠ lumière □ **agonise** : meurt lentement

fond : partie la plus basse

devancier(s), m. : qqn. qui était dans la même situation

tout à coup : soudainement

luisant(s) : brillant □ **guettent** : surveillent □ **se suivent** : vont l'un derrière l'autre

luttent : se battent

vivant ≠ mort

s'enquit d' : s'informa sur □ **le cantonnier** entretient la route

binait : ôtait les herbes □ **dix sous** : un demi-franc □ **course** : déplacement □ **parut** : sembla □ **goujat** : apprenti maçon

il valait mieux : il était préférable

portassent : subjonctif imparfait de porter □ **ainsi** : de cette manière □ **averti** : instruit □ **sort** : destinée

iraient : conditionnel d'aller □ **nuit tombante** : fin du jour

On lui offrit, ce soir-là, une bonne soupe avec un doigt de beurre. Il l'avala jusqu'à la dernière goutte ; et, comme il remuait la queue de contentement, Rose le prit dans son tablier.

Elles allaient à grands pas, comme des maraudeuses, à travers la plaine. Bientôt elles aperçurent la marnière et l'atteignirent ; Mme Lefèvre se pencha pour écouter si aucune bête ne gémissait. — Non — il n'y en avait pas ; Pierrot serait seul. Alors Rose qui pleurait, l'embrassa, puis le lança dans le trou ; et elles se penchèrent toutes deux, l'oreille tendue.

Elles entendirent d'abord un bruit sourd ; puis la plainte aiguë, déchirante, d'une bête blessée, puis une succession de petits cris de douleur, puis des appels désespérés, des supplications de chien qui implorait, la tête levée vers l'ouverture.

Il jappait, oh ! il jappait !

Elles furent saisies de remords, d'épouvante, d'une peur folle et inexplicable ; et elles se sauvèrent en courant. Et, comme Rose allait plus vite, Mme Lefèvre criait : « Attendez-moi, Rose, attendez-moi ! »

Leur nuit fut hantée de cauchemars épouvantables.

Mme Lefèvre rêva qu'elle s'asseyait à table pour manger la soupe, mais quand elle découvrait la soupière, Pierrot était dedans. Il s'élançait et la mordait au nez.

Elle se réveilla et crut l'entendre japper encore. Elle écouta ; elle s'était trompée.

Elle s'endormit de nouveau et se trouva sur une grande route, une route interminable, qu'elle suivait. Tout à coup, au milieu du chemin, elle aperçut un panier, un grand panier de fermier, abandonné ; et ce panier lui faisait peur.

avec un doigt de = presque pas de (**doigt** : la main en a cinq)

beurre : produit du lait □ **avala... goutte** : mangea vite le tout (**goutte** : très petite quantité de liquide) □ **remuait** : bougeait

tablier : vêtement de travail

à grands pas : en hâte

à travers : en traversant □ **bientôt** : peu de temps après

atteignirent : passé simple d'atteindre (parvenir à) □ **écouter** : entendre particulièrement

pleurait : versait des larmes

lança : jeta vivement

oreille : on entend avec ses deux oreilles □ **tendu(e)** : attentif

bruit : qqch. de sonore, son □ **sourd** : (ici) diminué

aigu(ë) : de ton haut □ **déchirant(e)** : poignant □ **blessé(e)** : atteint physiquement □ **douleur, f.** : peine

levé(e) : dirigé vers le haut □ **ouverture, f.** : orifice

saisi(es) : pris subitement □ **épouvante, f.** : peur horrible (14 - 26) □ **fol(le)** : insensé □ **se sauver** : s'enfuir

vite : rapidement

attendez ! : ne partez pas sans (moi) !

cauchemar(s), m. : mauvais rêve

rêva : eut en dormant la vision □ **s'asseyait** : se mettait sur un siège □ **découvrait** : ôtait le couvercle □ **soupière** : récipient pour la soupe □ **s'élançait** : sautait □ **mordait** : blessait avec ses dents

se réveilla : finit de dormir □ **crut** (croire) : eut l'impression

s'était trompé(e) : avait fait une erreur

s'endormit : commença de dormir □ **de nouveau** : encore □ **se trouva** : était

panier : objet assez vaste pour porter des provisions

Elle finissait cependant par l'ouvrir, et Pierrot, blotti dedans, lui saisissait la main, ne la lâchait plus ; et elle se sauvait éperdue, portant ainsi au bout du bras le chien suspendu, la gueule serrée.

Au petit jour, elle se leva, presque folle, et courut à la marnière.

Il jappait ; il jappait encore, il avait jappé toute la nuit. Elle se mit à sangloter et l'appela avec mille petits noms caressants. Il répondit avec toutes les inflexions
10 tendres de sa voix de chien.

Alors elle voulut le revoir, se promettant de le rendre heureux jusqu'à sa mort.

Elle courut chez le puisatier chargé de l'extraction de la marne, et elle lui raconta son cas. L'homme écoutait sans rien dire. Quand elle eut fini, il prononça : « Vous voulez votre quin ? Ce sera quatre francs. »

Elle eut un sursaut ; toute sa douleur s'envola du coup.

« Quatre francs ! vous vous en feriez mourir ! quatre
20 francs ! »

Il répondit : « Vous croyez que j'vas apporter mes cordes, mes manivelles, et monter tout ça, et m' n'aller là-bas avec mon garçon et m' faire mordre encore par votre maudit quin, pour l' plaisir de vous le r' donner ? fallait pas l' jeter. »

Elle s'en alla, indignée. — Quatre francs !

Aussitôt rentrée, elle appela Rose et lui dit les prétentions du puisatier. Rose, toujours résignée, répétait : « Quatre francs ! c'est de l'argent, madame. »
30 Puis, elle ajouta : « Si on lui jetait à manger, à ce pauvre quin, pour qu'il ne meure pas comme ça ? »

Mme Lefèvre approuva, toute joyeuse ; et les voilà

ouvrir ≠ fermer □ **blotti** : replié sur lui-même
dedans : à l'intérieur □ **lâchait** : laissait libre
éperdu(e) : ayant perdu les sens
gueule : bouche d'animal □ **serré(e)** : attaché
petit jour : tôt le matin □ **se leva** : sortit du lit

sangloter : pleurer bruyamment □ **l'appela** : lui parla fort
nom(s) : mot utilisé pour désigner une personne

revoir : voir encore □ **se promettant de** : s'engageant à □ **rendre** :
faire devenir □ **heureux** : satisfait □ **mort** : fin de la vie
puisatier : homme qui creuse et entretient les puits
raconta : dit tout sur □ **cas** : situation

sursaut : mouvement brusque □ **s'envola** : disparut au loin
du coup : à cause du choc
... en feriez mourir ! = vous attireriez sur vous une punition !

j'vas = je vais (parler paysan ; de même **m'n'** = m'en, **m'** = me)
corde(s), f. : câble □ **manivelle(s)**, f. : pièce mécanique □
monter : assembler □ **là-bas** : dans ce lieu éloigné
maudit : (ici) désagréable, méchant
fallait pas = il ne fallait pas, vous n'auriez pas dû
s'en alla : partit
rentrée : revenue chez elle □ **appela** : fit venir
prétention(s), f. : (ici) demande excessive
c'est de... : c'est beaucoup d'
ajouta : dit en plus
meure : subjonctif de mourir □ **comme ça** : dans ces conditions
les voilà reparties : immédiatement elles sont reparties

reparties, avec un gros morceau de pain beurré.

Elles le coupèrent par bouchées qu'elles lançaient l'une après l'autre, parlant tour à tour à Pierrot. Et sitôt que le chien avait achevé un morceau, il jappait pour réclamer le suivant.

Elles revinrent le soir, puis le lendemain, tous les jours. Mais elles ne faisaient plus qu'un voyage.

Or, un matin, au moment de laisser tomber la
10 première bouchée, elles entendirent tout à coup un aboiement formidable dans le puits. Ils étaient deux ! On avait précipité un autre chien, un gros !

Rose cria : « Pierrot ! » Et Pierrot jappa, jappa. Alors on se mit à jeter la nourriture ; mais, chaque fois, elles distinguaient parfaitement une bousculade terrible, puis les cris plaintifs de Pierrot mordu par son compagnon, qui mangeait tout, étant le plus fort.

Elles avaient beau spécifier : « C'est pour toi, Pierrot ! » Pierrot, évidemment, n'avait rien.
20 Les deux femmes interdites, se regardaient ; et Mme Lefèvre prononça d'un ton aigre : « Je ne peux pourtant pas nourrir tous les chiens qu'on jettera là-dedans. Il faut y renoncer. »

Et, suffoquée à l'idée de tous ces chiens vivant à ses dépens, elle s'en alla, emportant même ce qui restait du pain qu'elle se mit à manger en marchant.

Rose la suivit en s'essuyant les yeux du coin de son tablier bleu.

reparti(es): parti de nouveau □ **beurré**: couvert de beurre
coupèrent: divisèrent avec un couteau
sitôt que = aussitôt que
achevé: fini

lendemain: jour suivant
voyage: déplacement

tomber: descendre par son propre poids

bousculade: agitation désordonnée

avaient beau spécifier: spécifiaient vainement

interdit(es): déconcerté □ **se regardaient**: se fixaient des yeux
aigre: acide □ **pourtant**: mais
là-dedans: à l'intérieur de cet endroit

à ses dépens: à sa charge
emportant: prenant avec elle
marchant: allant à pied
s'essuyant les yeux: se débarrassant de ses larmes □ **coin**:
partie qui fait un angle

Grammaire au fil des nouvelles

Remplissez les blancs avec le mot ou la forme grammaticale qui se trouve dans le texte (le premier chiffre renvoie à la page, le second à la ligne) :

Madame Lefèvre était une ... (= son mari était mort, 14 - 1).

Un fermier leur offrit ce conseil : « Vous ... avoir un chien » (devoir, 16 - 1).

Dès que tout le monde ..., Madame Lefèvre discuta longtemps cette idée de chien (partir, 16 - 9).

Mais il exigeait qu'on le lui ... deux francs (payer, 16 - 23).

Un petit animal tout jaune, presque sans ... (= jambe d'un animal, 16 - 28).

Quand il ... bien accoutumé à la maison, on le laissera libre (être, 18 - 7).

Elle ... s'évanouir de saisissement (= s'évanouit presque, 18 - 24).

On fait piquer du mas à tous les chiens ... on veut se débarrasser (pron. rel., 18 - 29).

On descend une fois ... an (préposition, 20 - 5).

Il valait mieux qu'elles le ... elles-mêmes (porter, 20 - 29).

Il fut résolu qu'elles ... toutes les deux à la nuit tombante (aller, 20 - 31).

Leur nuit fut hantée de ... épouvantables (= mauvais rêves, 22 - 22).

Elle courut ... puisatier (préposition = à la maison du, 24 - 13).

Si on lui jetait à manger, à ce pauvre chien, pour qu'il ne ... pas comme ça (mourir, 24 - 30) ?

Elles entendirent tout à coup un ... formidable dans le puits (cri spécifique d'un chien, 26 - 10).

Elles ... spécifier : « C'est pour toi, Pierrot ! » (= spécifiaient vainement, 26 - 18).

FOU ?

Paru pour la première fois en 1882 dans le journal *Gil Blas,* ce conte sera intégré la même année au recueil *Mademoiselle Fifi.* Maupassant a trente-deux ans quand il l'écrit ; pour la première fois, il fait, dans une de ses créations littéraires, une étude attentive de l'aliénation et le titre qu'il choisit montre sa lucidité à ce sujet. Pour lui la réalité de la folie réside davantage dans une interrogation que dans une certitude quelconque affirmée par un mot bref.

On ne sait donc pas si elle est tout à fait réelle ou non, cette histoire d'une passion mouvementée, où l'action et l'intrigue, hors d'un temps et d'un lieu définis, l'emportent sur les spéculations. On se laisse prendre à cette affaire de jalousie d'un homme, à ces *perversions de la sensualité* féminine, à la tragédie qui monte. On est comme abasourdi par l'explosion de violence finale, en même temps que par l'implacable logique du récit.

Il appartient en définitive à chacun de répondre comme il l'entend à la question posée par le titre.

Suis-je fou ? ou seulement jaloux ? Je n'en sais rien, mais j'ai souffert horriblement. J'ai accompli un acte de folie, de folie furieuse, c'est vrai ; mais la jalousie haletante, mais l'amour exalté, trahi, condamné, mais la douleur abominable que j'endure, tout cela ne suffit-il pas pour nous faire commettre des crimes et des folies sans être vraiment criminel par le cœur ou par le cerveau ?

Oh ! j'ai souffert, souffert, souffert d'une façon continue, aiguë, épouvantable. J'ai aimé cette femme
10 d'un élan frénétique... Et cependant est-ce vrai ? L'ai-je aimée ? Non, non, non. Elle m'a possédé âme et corps, envahi, lié. J'ai été, je suis sa chose, son jouet. J'appartiens à son sourire, à sa bouche, à son regard, aux lignes de son corps, à la forme de son visage ; je halète sous la domination de son apparence extérieure ; mais Elle, la femme de tout cela, l'être de ce corps, je la hais, je la méprise, je l'exècre, je l'ai toujours haïe, méprisée, exécrée ; car elle est perfide, bestiale, immonde, impure ; elle est la *femme de perdition*, l'animal sensuel et
20 faux chez qui l'âme n'est point, chez qui la pensée ne circule jamais comme un air libre et vivifiant ; elle est la bête humaine ; moins que cela : elle n'est qu'un flanc, une merveille de chair douce et ronde qu'habite l'Infamie.

Les premiers temps de notre liaison furent étranges et délicieux. Entre ses bras toujours ouverts, je m'épuisais dans une rage d'inassouvissable désir. Ses yeux, comme s'ils m'eussent donné soif, me faisaient ouvrir la bouche. Ils étaient gris à midi, teintés de vert à la tombée du
30 jour, et bleus au soleil levant. Je ne suis pas fou : je jure qu'ils avaient ces trois couleurs.

Aux heures d'amour ils étaient bleus, comme meurtris,

fou : qqn. qui a perdu la raison □ **sais** : verbe savoir, présent
accompli : fait, exécuté
folie, f. : démence □ **vrai** : conforme à la vérité, exact □
haletant(e) : impatient □ **trahi** : abandonné par un traître □
douleur : peine □ **suffit** : est suffisant

le cœur fait circuler le sang □ **cerveau** : organe à l'intérieur de la
tête
aigu(ë) : très violent □ **épouvantable** : extrêmement horrible
élan : impulsion □ **frénétique** : d'un enthousiasme incontrôlé
âme, f. : partie spirituelle... □ ... **corps, m.** : partie matérielle
d'un être □ **envahi** : pénétré □ **lié** : retenu □ **jouet** : objet qui
amuse les enfants □ **appartiens à** : dépends de □ **sourire** :
expression joyeuse de la bouche □ **ligne(s), f.** : contour □
visage : face □ **halète** : respire à un rythme rapide (1. 3)
être, m. : personne
hais : déteste □ **méprise** : dédaigne □ **exècre** : estime exécrable
immonde : abject(e)

faux ≠ vrai □ **pensée** : intellect □ **ne... jamais** ≠ toujours
libre : en liberté □ **vivifiant** : tonique
moins ≠ plus □ **flanc** : côté du corps
chair : parties molles du corps
infamie, f. : déshonneur

bras, m. : membre supérieur du corps □ **m'épuisais** : usais toutes
mes forces □ **inassouvissable** : impossible à contenter
soif, f. : désir de boire □ **ouvrir** ≠ fermer
midi, m. : milieu du jour (12 heures) □ **tombée** : (ici) fin, chute
soleil levant : début du jour □ **jure** : déclare sous serment

meurtri(s) : contusionné

avec des pupilles énormes et nerveuses. Ses lèvres, remuées d'un tremblement, laissaient jaillir parfois la pointe rose et mouillée de sa langue, qui palpitait comme celle d'un reptile ; et ses paupières lourdes se relevaient lentement, découvrant ce regard ardent et anéanti qui m'affolait.

En l'étreignant dans mes bras je regardais son œil et je frémissais, secoué tout autant par le besoin de tuer cette bête que par la nécessité de la posséder sans cesse.

10 Quand elle marchait à travers ma chambre, le bruit de chacun de ses pas faisait une commotion dans mon cœur ; et quand elle commençait à se dévêtir, laissant tomber sa robe, et sortant, infâme et radieuse, du linge qui s'écrasait autour d'elle, je sentais tout le long de mes membres, le long des bras, le long des jambes, dans ma poitrine essoufflée, une défaillance infinie et lâche.

Un jour, je m'aperçus qu'elle était lasse de moi. Je le vis dans son œil, au réveil. Penché sur elle, j'attendais chaque matin ce premier regard. Je l'attendais, plein de 20 rage, de haine, de mépris pour cette brute endormie dont j'étais l'esclave. Mais quand le bleu pâle de sa prunelle, ce bleu liquide comme de l'eau, se découvrait, encore languissant, encore fatigué, encore malade des récentes caresses, c'était comme une flamme rapide qui me brûlait, exaspérant mes ardeurs. Ce jour-là, quand s'ouvrit sa paupière, j'aperçus un regard indifférent et morne qui ne désirait plus rien.

Oh ! je le vis, je le sus, je le sentis, je le compris tout de suite. C'était fini, fini, pour toujours. Et j'en eus la 30 preuve à chaque heure, à chaque seconde.

Quand je l'appelais des bras et des lèvres, elle se retournait ennuyée, murmurant : « Laissez-moi donc ! »

les deux **lèvres** forment le contour de la bouche

remué(es): agité □ **laissaient**: faisaient □ **jaillir**: sortir d'un coup □ **pointe**: bout □ **mouillé(e)**: humide □ **langue**: organe dans la bouche □ **paupière(s)**: protection des yeux □ **se relevaient**: s'ouvraient □ **lentement** ≠ vite □ **découvrant**: faisant paraître □ **anéanti**: abattu □ **affolait**: faisait perdre la tête

étreignant: (< étreindre) serrant fortement □ **regardais**: fixais **frémissais**: tremblais □ **secoué**: agité □ **besoin**: envie □ **tuer**: donner la mort à □ **sans cesse**: continuellement

marchait: allait □ **chambre**: pièce où on dort □ **bruit**: son **chacun de...** = tous... □ **pas,** m.: mouvement des pieds dans la marche □ **se dévêtir**: ôter ses vêtements

tomber: descendre □ **robe**: vêtement □ **radieuse**: gaie □ **linge**: les sous-vêtements □ **s'écrasait**: était aplati □ **autour**: de tous côtés □ **membre(s)**, m. = bras et **jambes**

poitrine: devant du corps □ **défaillance**: faiblesse □ **lâche** ≠ courageux □ **m'aperçus** = vis (< voir) □ **las(se)**: fatigué

réveil: fin du sommeil □ **penché**: incliné □ **attendais**: guettais, patientais pour voir

haine, f. ≠ amour □ **mépris,** m. ≠ estime □ **endormi(e)**: plongé dans le sommeil □ **esclave,** m. et f.: personne qu'un maître possède □ **prunelle** = pupille

malade de(s): dérangé à cause de

brûlait: consumait

morne ≠ brillant

sus: passé simple de savoir □ **sentis**: compris □ **tout de suite**: immédiatement

preuve: démonstration

appelais: attirais son attention, invitais

se retournait: tournait le dos □ **ennuyé(e)**: non intéressé

ou bien : « Vous êtes odieux ! » ou bien : « Ne serai-je jamais tranquille ! »

Alors, je fus jaloux, mais jaloux comme un chien, et rusé, défiant, dissimulé. Je savais bien qu'elle recommencerait bientôt, qu'un autre viendrait pour rallumer ses sens.

Je fus jaloux avec frénésie ; mais je ne suis pas fou ; non, certes, non.

J'attendis ; oh ! j'épiais ; elle ne m'aurait pas trompé ;
10 mais elle restait froide, endormie. Elle disait parfois : « Les hommes me dégoûtent. » Et c'était vrai.

Alors je fus jaloux d'elle-même ; jaloux de son indifférence, jaloux de la solitude de ses nuits ; jaloux de ses gestes, de sa pensée, que je sentais toujours infâme, jaloux de tout ce que je devinais. Et quand elle avait parfois, à son lever, ce regard mou qui suivait jadis nos nuits ardentes, comme si quelque concupiscence avait hanté son âme et remué ses désirs, il me venait des suffocations de colère, des tremblements d'indignation,
20 des démangeaisons de l'étrangler, de l'abattre sous mon genou et de lui faire avouer, en lui serrant la gorge, tous les secrets honteux de son cœur.

Suis-je fou ? — Non.

Voilà qu'un soir je la sentis heureuse. Je sentis qu'une passion nouvelle vivait en elle. J'en étais sûr, indubitablement sûr. Elle palpitait comme après mes étreintes ; son œil flambait, ses mains étaient chaudes, toute sa personne vibrante dégageait cette vapeur d'amour d'où mon affolement était venu.

30 Je feignis de ne rien comprendre, mais mon attention l'enveloppait comme un filet.

Je ne découvrais rien, pourtant.

ou bien... ou bien = ou... ou

comme un chien : fortement (chien : animal domestique)
rusé : qqn. qui use de ruse
bientôt : sans tarder □ **un autre** (que moi) □ **rallumer** : exciter
encore une fois

certes : certainement
épiais : surveillais secrètement □ **... trompé** : ... été infidèle
froid(e) : sans émotion □ **endormi(e)** : sans réaction

geste(s), m. : mouvement □ **toujours** : chaque fois sans exception
devinais : savais instinctivement
lever : sortie du lit □ **mou** ≠ dur □ **suivait** : venait après □
jadis : autrefois
remué : agité
colère : irritation violente
démangeaison(s), f. : envie (de se gratter) □ **abattre** : renverser
genou : milieu de la jambe □ **avouer** : confesser □ **gorge** : devant
du cou □ **honteux** : humiliant

heureuse : contente
vivait : s'animait
étreinte(s), f. : embrassade
flambait : brillait comme une flamme
dégageait : exhalait
affolement : trouble incontrôlable
feignis de (< feindre) : fis semblant de, prétendis
un filet sert à prendre des poissons

J'attendis une semaine, un mois, une saison. Elle s'épanouissait dans l'éclosion d'une incompréhensible ardeur ; elle s'apaisait dans le bonheur d'une insaisissable caresse.

Et, tout à coup, je devinai ! Je ne suis pas fou. Je le jure, je ne suis pas fou !

Comment dire cela ? Comment me faire comprendre ? Comment exprimer cette abominable et incompréhensible chose ?

10   Voici de quelle manière je fus averti.

Un soir, je vous l'ai dit, un soir, comme elle rentrait d'une longue promenade à cheval, elle tomba, les pommettes rouges, la poitrine battante, les jambes cassées, les yeux meurtris, sur une chaise basse, en face de moi. Je l'avais vue comme cela ! Elle aimait ! je ne pouvais m'y tromper !

Alors, perdant la tête, pour ne plus la contempler, je me tournai vers la fenêtre, et j'aperçus un valet emmenant par la bride vers l'écurie son grand cheval qui
20 se cabrait.

Elle aussi suivait de l'œil l'animal ardent et bondissant. Puis, quand il eut disparu, elle s'endormit tout à coup.

Je songeai toute la nuit ; et il me sembla pénétrer des mystères que je n'avais jamais soupçonnés. Qui sondera jamais les perversions de la sensualité des femmes ? Qui comprendra leurs invraisemblables caprices et l'assouvissement étrange des plus étranges fantaisies ?

Chaque matin, dès l'aurore, elle partait au galop par
30 les plaines et les bois ; et chaque fois, elle rentrait alanguie, comme après des frénésies d'amour.

J'avais compris ! j'étais jaloux maintenant du cheval

attendis : patientai □ **semaine** : 7 jours □ **mois** : 30 jours
s'épanouissait : rayonnait □ **éclosion,** f. : développement
s'apaisait : devenait calme □ **bonheur** : joie □ **insaisissable** = incompréhensible

exprimer : décrire avec des mots

manière : façon □ **averti** : prévenu
soir : fin de la journée □ **rentrait** : revenait à la maison
promenade : tour □ **cheval,** m. : animal sur qui on monte
pommette(s), f. : partie du visage □ **battant(e)** : trépidant
cassé(es) : fatigué □ **meurtri(s)** : marqué □ **bas(se)** ≠ haut

m'y tromper : faire une erreur à ce sujet

la lumière du jour entre par **la fenêtre**
emmenant : conduisant □ **bride** : partie du harnais □ **écurie,** f. : bâtiment où sont gardés des chevaux □ **se cabrait** : levait les bras □ **suivait de l'œil** : regardait □ **bondissant** : sautant
eut disparu : fut sorti de la vue □ **tout à coup** : en un instant

songeai : pensai
soupçonné(s) : suspecté □ **sondera** : explorera le fond de(s)
jamais : un jour
invraisemblable(s) : bizarre □ **assouvissement,** m. : satisfaction

aurore, f. : commencement du jour
bois, m. : lieu planté d'arbres
alangui(e) : ayant perdu son énergie, affaibli
maintenant : à présent

nerveux et galopant ; jaloux du vent qui caressait son visage quand elle allait d'une course folle ; jaloux des feuilles qui baisaient, en passant, ses oreilles ; des gouttes de soleil qui lui tombaient sur le front à travers les branches ; jaloux de la selle qui la portait et qu'elle étreignait de sa cuisse.

C'était tout cela qui la faisait heureuse, qui l'exaltait, l'assouvissait, l'épuisait et me la rendait ensuite insensible et presque pâmée.

10 Je résolus de me venger. Je fus doux et plein d'attentions pour elle. Je lui tendais la main quand elle allait sauter à terre après ses courses effrénées. L'animal furieux ruait vers moi ; elle le flattait sur son cou recourbé, l'embrassait sur ses naseaux frémissants sans essuyer ensuite ses lèvres ; et le parfum de son corps, en sueur comme après la tiédeur du lit, se mêlait sous ma narine à l'odeur âcre et fauve de la bête.

J'attendis mon jour et mon heure. Elle passait chaque matin par le même sentier, dans un petit bois de
20 bouleaux qui s'enfonçait vers la forêt.

Je sortis avant l'aurore, avec une corde dans la main et mes pistolets cachés sur ma poitrine, comme si j'allais me battre en duel.

Je courus vers le chemin qu'elle aimait ; je tendis la corde entre deux arbres ; puis je me cachai dans les herbes.

J'avais l'oreille contre le sol ; j'entendis son galop lointain ; puis je l'aperçus là-bas, sous les feuilles comme au bout d'une voûte, arrivant à fond de train. Oh ! je ne
30 m'étais pas trompé, c'était cela ! Elle semblait transportée d'allégresse, le sang aux joues, de la folie dans le regard ; et le mouvement précipité de la course faisait

nerveux : vigoureux □ **vent** : mouvement de l'air
course : trajet accompli rapidement
feuilles = feuillage □ **baisaient** : caressaient □ **goutte(s), f.** :
petite quantité (liquide) □ **front** : haut du visage
selle : siège d'un cavalier
cuisse : partie supérieure de la jambe

épuisait : fatiguait □ **insensible** : sans émotion, indifférent(e)
presque : à peu près entièrement □ **pâmé(e)** : évanoui
résolus : décidai □ **doux** : gentil, aimable
tendais : offrais, avançais
sauter : descendre vite (du cheval) □ **effréné(es)** : précipité
ruait : lançait les pieds □ **flattait** : caressait □ **cou** : partie sous
la tête □ **recourbé** : baissé □ **naseaux** : ouvertures du nez (d'un
animal) □ **essuyer** : sécher □ **ensuite** : après cela
sueur, f. : transpiration □ **tiédeur** : chaleur □ **mêlait** : confondait
narine : ouverture du nez □ **âcre** : piquant(e) □ **fauve** : animal(e)

sentier : passage étroit (en forêt, en montagne)
bouleau(x), m. : arbre à tronc blanc □ **s'enfonçait** : pénétrait

caché(s) : dissimulé
me battre : combattre, affronter un ennemi
courus : allai très vite □ **chemin** : sentier fréquenté □ **tendis** : mis
en tension (< tendre)

l'oreille sert à entendre □ **sol** : surface de la terre □ **entendis** :
perçus le son □ **lointain** ≠ proche □ **là-bas** : à distance
bout : extrémité □ **voûte** : construction en arche □ **à fond de
train** : à toute vitesse
allégresse, f. : jubilation □ **le sang aux joues** : son visage est
devenu rouge (sang : liquide vital rouge)

vibrer ses nerfs d'une jouissance solitaire et furieuse.

L'animal heurta mon piège des deux jambes de devant, et roula, les os cassés. Elle! je la reçus dans mes bras. Je suis fort à porter un bœuf. Puis, quand je l'eus déposée à terre, je m'approchai de Lui qui nous regardait; alors, pendant qu'il essayait de me mordre encore, je lui mis un pistolet dans l'oreille... et je le tuai... comme un homme.

Mais je tombai moi-même, la figure coupée par deux coups de cravache; et comme elle se ruait de nouveau sur moi, je lui tirai mon autre balle dans le ventre.

Dites-moi, suis-je fou?

jouissance : volupté

heurta : entra violemment dans □ **piège** : attrape □ **des** : avec les

roula : tourna sur lui-même □ **os** : élément du squelette

fort à : capable de □ **porter** : soulever □ **bœuf** : animal utilisé au travail de la ferme □ **déposé(e)** : posé(e)

essayait : tentait □ **mordre** : prendre avec ses dents

mis : passé simple de mettre

tuai : fis mourir

figure : face □ **coupé(e)** : frappé comme par un couteau

coup, m. : choc □ **cravache,** f. : fouet du cavalier □ **se ruait** : se précipitait □ **tirai** : envoyai □ **balle,** f. : munition □ **ventre** : estomac □ **dites** : impératif de dire

Grammaire au fil des nouvelles

Remplissez les blancs avec le mot ou la forme grammaticale qui se trouve dans le texte (le premier chiffre renvoie à la page, le second à la ligne) :

La douleur abominable ... j'endure (pron. rel., 30 - 4).

Je la hais, je la méprise, je l'exècre, je l'ai toujours ..., ..., ..., (participe passé de haïr, mépriser, exécrer, 30 - 16).

Ses lèvres laissaient jaillir la pointe rose de sa langue, ... palpitait comme ... d'un reptile (pron. rel. ; pron. démonst., 32 - 1).

Ses ... lourdes se relevaient lentement, découvrant ce regard ardent (= protection des yeux, 32 - 4).

Je l'attendais, plein de rage pour cette brute endormie ... j'étais l'esclave (pron. rel., 32 - 19).

Oh ! je le ..., je le ..., je le ..., je le compris tout de suite. C'était fini (voir, savoir, sentir, 32 - 28).

Je savais bien qu'elle ... bientôt, qu'un autre ... pour rallumer ses sens (recommencer, venir, 34 - 4).

Je sentis qu'une passion nouvelle vivait en elle. J'... étais sûr (sûr de cela, 34 - 24).

J'aperçus un valet emmenant par la bride vers l'... son grand cheval qui ... (= bâtiment où sont gardés des chevaux ; = levait les bras du devant, 36 - 18).

Elle ... chaque matin par le même sentier (passer, 38 - 18).

Je sortis avant l'aurore, mes pistolets cachés, comme si j'... me battre ... duel (aller ; préposition, 38 - 21).

LE LOUP

Le récit proprement dit est situé pendant l'hiver de 1764, autour d'un château de Lorraine. Mais il est présenté dans un cadre actuel, celui d'un repas de chasseurs à l'époque même où Maupassant l'écrit (fin 1882). Nous sommes avertis qu'il s'agit d'une de ces histoires « sanguinaires », qui soulèvent l'intérêt des femmes, et c'est précisément à une femme que reviendra le mot de la fin.

La narration est faite par un convive, qui a le sens du bien-dire. On est vite emporté non pas au XVIIIᵉ siècle, mais à l'âge épique des combats de géants et de l'homme contre la bête. Et, sous le récit de chasse traditionnel, transparaissent les inquiétudes propres à Maupassant, chaque fois qu'il détecte une nouvelle forme d'obsession.

De son vivant, ce conte, maintes fois publié, a été intégré au recueil *Clair de lune* (1884).

Voici ce que nous raconta le vieux marquis d'Arville à la fin du dîner de Saint-Hubert, chez le baron des Ravels.

On avait forcé un cerf dans le jour. Le marquis était le seul des convives qui n'eût point pris part à cette poursuite, car il ne chassait jamais.

Pendant toute la durée du grand repas, on n'avait guère parlé que de massacres d'animaux. Les femmes elles-mêmes s'intéressaient aux récits sanguinaires et
10 souvent invraisemblables, et les orateurs mimaient les attaques et les combats d'hommes contre les bêtes, levaient les bras, contaient d'une voix tonnante.

M. d'Arville parlait bien, avec une certaine poésie un peu ronflante, mais pleine d'effet. Il avait dû répéter souvent cette histoire, car il la disait couramment, n'hésitant pas sur les mots choisis avec habileté pour faire image.

★

Messieurs, je n'ai jamais chassé, mon père non plus,
20 mon grand-père non plus, et, non plus, mon arrière-grand-père. Ce dernier était fils d'un homme qui chassa plus que vous tous. Il mourut en 1764. Je vous dirai comment.

Il se nommait Jean, était marié, père de cet enfant qui fut mon trisaïeul, et il habitait avec son frère cadet, François d'Arville, notre château de Lorraine, en pleine forêt.

François d'Arville était resté garçon par amour de la chasse.

30 Ils chassaient tous deux, d'un bout à l'autre de l'année, sans repos, sans arrêt, sans lassitude. Ils n'aimaient que cela, ne comprenaient pas autre chose, ne

raconta : rapporta en détail

fin ≠ commencement □ **dîner de Saint-Hubert** : repas traditionnel le jour du saint patron de la chasse (3 novembre)

forcé : encerclé □ **cerf** : animal sauvage avec des cornes immenses □ **convive(s)** : invité(s) □ **pris part** : participé

chasser : poursuivre un animal sauvage pour le tuer

pendant : durant □ **durée** : période ininterrompue □ **n'... guère... que** = presque seulement □ **parlé... de** : discuté... de

récit(s) : histoire

souvent : fréquemment □ **invraisemblable(s)** : peu crédible

contre les : en opposition aux, adversaires des

levaient : mettaient en l'air □ **tonnant(e)** : fort comme le son du tonnerre

ronflant(e) : emphatique □ **plein(e)** : rempli

couramment : facilement

mot(s), m. : parole □ **choisi(s)** : recherché □ **habileté, f.** : finesse

faire image : rendre coloré

non plus : de la même façon

ce dernier : le précédent

mourut : cessa de vivre

comment : dans quelles circonstances

il se nommait : son nom était

trisaïeul : (ici) père du grand-père □ **cadet** : plus jeune

en plein(e) : au milieu de

était resté : avait continué à être □ **garçon** : (ici) homme non marié, célibataire

d'un bout à l'autre : du début à la fin

arrêt, m. : interruption

comprenaient : (ici) connaissaient

parlaient que de cela, ne vivaient que pour cela.

Ils avaient au cœur cette passion terrible, inexorable. Elle les brûlait, les ayant envahis tout entiers, ne laissant de place pour rien d'autre.

Ils avaient défendu qu'on les dérangeât jamais en chasse, pour aucune raison. Mon trisaïeul naquit pendant que son père suivait un renard, et Jean d'Arville n'interrompit point sa course, mais il jura : « Nom d'un nom, ce gredin-là aurait bien pu attendre après l'hal-
10 lali ! »

Son frère François se montrait encore plus emporté que lui. Dès le lever, il allait voir les chiens, puis les chevaux, puis il tirait les oiseaux autour du château jusqu'au moment de partir pour forcer quelque grosse bête.

On les appelait dans le pays M. le marquis et M. le cadet, les nobles d'alors ne faisant point comme la noblesse d'occasion de notre temps, qui veut établir dans les titres une hiérarchie descendante ; car le fils d'un
20 marquis n'est pas plus comte, ni le fils d'un vicomte baron, que le fils d'un général n'est colonel de naissance. Mais la vanité mesquine du jour trouve profit à cet arrangement.

Je reviens à mes ancêtres.

Ils étaient, paraît-il, démesurément grands, osseux, poilus, violents et vigoureux. Le jeune, plus haut encore que l'aîné, avait une voix tellement forte que, suivant une légende dont il était fier, toutes les feuilles de la forêt s'agitaient quand il criait.

30 Et lorsqu'ils se mettaient en selle tous deux pour partir en chasse, ce devait être un spectacle superbe de voir ces deux géants enfourcher leurs grands chevaux.

vivaient : existaient

au cœur = en eux (cœur : siège des sentiments)

brûlait : consumait □ **envahi(s) :** pénétré de force □ **laissant :** faisant

défendu : interdit □ **dérangeât :** importunât □ **jamais :** une fois

naquit : vint au monde

suivait : allait derrière □ **renard :** animal réputé rusé

course : (ici) galop □ **jura :** blasphéma □ **... d'un nom** = de Dieu

gredin : vilain □ **attendre :** retarder sa venue □ **hallali,** m. : sonnerie de trompes pour annoncer la mise à mort d'un cerf

se montrait : était visiblement □ **emporté :** impétueux

dès : juste après □ **lever :** sortie du lit □ **chien(s),** m. : animal fidèle □ **cheval :** animal du cavalier □ **tirait** (avec une arme à feu)

appelait : désignait □ **pays :** (ici) région □ **M.** = monsieur

alors : autrefois

d'occasion : acquise à la faveur des circonstances

comte, baron... sont des **titres** de noblesse

naissance : début de la vie

mesquin(e) : médiocre □ **du jour** = présent(e) □ **trouve profit à :** profite de

paraît-il : dit-on □ **démesurément :** à l'excès □ **osseux :** avec des os proéminents □ **poilu(s) :** couvert de poils (moustache, barbe...) □ **aîné :** premier enfant □ **tellement :** à tel point □ **suivant :** selon □ **fier :** légitimement satisfait □ **les feuilles** forment le feuillage

lorsqu' : quand □ **se mettaient en selle :** montaient sur leurs chevaux (la selle sert de siège au cavalier)

enfourcher : monter sur un cheval, et le serrer entre ses jambes

Or, vers le milieu de l'hiver de cette année 1764, les froids furent excessifs et les loups devinrent féroces.

Ils attaquaient même les paysans attardés, rôdaient la nuit autour des maisons, hurlaient du coucher du soleil à son lever et dépeuplaient les étables.

Et bientôt une rumeur circula. On parlait d'un loup colossal, au pelage gris, presque blanc, qui avait mangé deux enfants, dévoré le bras d'une femme, étranglé tous les chiens de garde du pays et qui pénétrait sans peur
10 dans les enclos pour venir flairer sous les portes. Tous les habitants affirmaient avoir senti son souffle qui faisait vaciller la flamme des lumières. Et bientôt une panique courut par toute la province. Personne n'osait plus sortir dès que tombait le soir. Les ténèbres semblaient hantées par l'image de cette bête...

Les frères d'Arville résolurent de la trouver et de la tuer, et ils convièrent à de grandes chasses tous les gentilshommes du pays.

Ce fut en vain. On avait beau battre la forêt, fouiller
20 les buissons, on ne la rencontrait jamais. On tuait des loups, mais pas celui-là. Et chaque nuit qui suivait la battue, l'animal, comme pour se venger, attaquait quelque voyageur ou dévorait quelque bétail, toujours loin du lieu où on l'avait cherché.

Une nuit enfin, il pénétra dans l'étable aux porcs du château d'Arville et mangea les deux plus beaux élèves.

Les deux frères furent enflammés de colère, considérant cette attaque comme une bravade du monstre, une
30 injure directe, un défi. Ils prirent tous leurs forts limiers habitués à poursuivre les bêtes redoutables, et ils se mirent en chasse, le cœur soulevé de fureur.

or: annonce un événement dans un récit □ **vers le**: à peu près au □ **loup(s)**, m.: animal sauvage carnivore de la famille du chien □ **paysan(s)**: cultivateur □ **attardé(s)**: en retard □ **rôdaient**: allaient çà et là □ **hurlaient**: criaient □ **coucher du soleil**: la fin du jour (≠ lever) □ **étable(s)**, f.: logement des bœufs, porcs, moutons □ **bientôt**: en peu de temps

pelage: fourrure

étranglé: tué en mordant à la gorge

... de garde: dressés pour surveiller □ **peur**, f.: crainte

enclos, m.: terrain enfermé □ **flairer**: détecter avec son nez

souffle: respiration

lumière(s), f.: (ici) lampe

courut par: se répandit vite dans □ **osait**: avait le courage de

tombait: venait □ **ténèbres**, f. pl.: obscurité

résolurent: décidèrent

tuer: donner la mort □ **convièrent**: invitèrent

on avait beau...: on battait inutilement □ **fouiller**: explorer

buisson(s), m.: endroit couvert d'arbustes □ **la rencontrait**: se trouvait face à elle

battue: partie de chasse pour faire sortir les animaux

bétail, m. (collectif): animaux de ferme; le gros, le petit bétail

loin ≠ **près** □ **lieu**: endroit □ **cherché**: essayé de découvrir

élève(s): (ici) animal, produit de l'élevage

enflammé(s): excité □ **colère**, f.: irritation, rage

injure: insulte □ **limier(s)**: chien utilisé pour rechercher

habitué(s): accoutumé □ **poursuivre**: faire la poursuite □ **se mirent en**: commencèrent la □ **soulevé**: (ici) révolté

Depuis l'aurore jusqu'à l'heure où le soleil empourpré descendit derrière les grands arbres nus, ils battirent les fourrés sans rien trouver.

Tous deux enfin, furieux et désolés, revenaient au pas de leurs chevaux par une allée bordée de broussailles, et s'étonnaient de leur science déjouée par ce loup, saisis soudain d'une sorte de crainte mystérieuse.

L'aîné disait :

« Cette bête-là n'est point ordinaire. On dirait qu'elle
10 pense comme un homme. »

Le cadet répondit :

« On devrait peut-être faire bénir une dalle par notre cousin l'évêque, ou prier quelque prêtre de prononcer les paroles qu'il faut. »

Puis ils se turent.

Jean reprit :

« Regarde le soleil s'il est rouge. Le grand loup va faire quelque malheur cette nuit. »

Il n'avait point fini de parler que son cheval se cabra ;
20 celui de François se mit à ruer. Un large buisson couvert de feuilles mortes s'ouvrit devant eux, et une bête colossale, toute grise, surgit, qui détala à travers le bois.

Tous deux poussèrent une sorte de grognement de joie, et, se courbant sur l'encolure de leurs pesants chevaux, ils les jetèrent en avant d'une poussée de tout leur corps, les lançant d'une telle allure, les excitant, les entraînant, les affolant de la voix, du geste et de l'éperon, que les forts cavaliers semblaient porter les
30 lourdes bêtes entre leurs cuisses et les enlever comme s'ils s'envolaient.

Ils allaient ainsi, ventre à terre, crevant les fourrés,

aurore, f. : début du jour □ **empourpré** : rouge, couleur de pourpre □ **derrière** ≠ devant □ **nu(s)** : sans leurs feuilles
fourré(s), m. : buisson épais
enfin : finalement □ **au pas de...** : sans presser...
allée : passage □ **bordé(e) de** : ses bords ont des □ **broussailles,** f. : végétation □ **déjoué(e)** : défait, surpassé □ **saisi(s) de** : pris par □ **crainte,** f. : peur

pense : réfléchit

peut-être : éventuellement □ **bénir** : consacrer □ **dalle** : plaque de marbre □ **évêque** : chef d'un diocèse □ **prier quelque prêtre...** : demander poliment à un homme d'Église □ **paroles qu'il faut** : formules appropriées □ **se turent** : restèrent silencieux
reprit (la conversation)
regarde... s(i) : observe... à quel point
faire quelque malheur : commettre un acte de violence
se cabra : se dressa sur ses jambes
ruer : envoyer des coups avec ses jambes
s'ouvrit : fit apparaître un passage
détala : partit à toute vitesse

poussèrent : (ici) firent entendre □ **grognement,** m. : cri
se courbant : s'inclinant □ **encolure,** f. : cou du cheval □
pesant(s) : lourd □ **jetèrent en avant** : firent partir très vite □
poussée : pression □ **lançant** : faisant galoper □ **allure** : rapidité
entraînant : encourageant □ **affolant** : rendant furieux □ **de** : avec □ **éperon,** m. : pièce de métal sur la botte du cavalier □
porter : transporter □ **cuisse(s),** f. : haut de la jambe □ **enlever** : porter en l'air □ **s'envolaient** : montaient vers le ciel
ventre à terre : le plus vite possible □ **crevant** : perçant

coupant les ravins, grimpant les côtes, dévalant les gorges, et sonnant du cor à pleins poumons pour attirer leurs gens et leurs chiens.

Et voilà que soudain, dans cette course éperdue, mon aïeul heurta du front une branche énorme qui lui fendit le crâne ; et il tomba raide mort sur le sol, tandis que son cheval affolé s'emportait, disparaissait dans l'ombre enveloppant les bois.

Le cadet d'Arville s'arrêta net, sauta par terre, saisit
10 dans ses bras son frère, et il vit que la cervelle coulait de la plaie avec le sang.

Alors il s'assit auprès du corps, posa sur ses genoux la tête défigurée et rouge, et il attendit en contemplant cette face immobile de l'aîné. Peu à peu une peur l'envahissait, une peur singulière qu'il n'avait jamais sentie encore, la peur de l'ombre, la peur de la solitude, la peur du bois désert et la peur aussi du loup fantastique qui venait de tuer son frère pour se venger d'eux.

20 Les ténèbres s'épaississaient, le froid aigu faisait craquer les arbres. François se leva, frissonnant, incapable de rester là plus longtemps, se sentant presque défaillir. On n'entendait plus rien, ni la voix des chiens ni le son des cors, tout était muet par l'invisible horizon ; et ce silence morne du soir glacé avait quelque chose d'effrayant et d'étrange.

Il saisit dans ses mains de colosse le grand corps de Jean, le dressa et le coucha sur la selle pour le reporter au château ; puis il se remit en marche doucement,
30 l'esprit troublé comme s'il était gris, poursuivi par des images horribles et surprenantes.

Et, brusquement, dans le sentier qu'envahissait la nuit,

coupant : traversant □ **grimpant :** montant □ **dévalant :** descendant □ **sonnant... poumons :** soufflant fort □ **cor :** instrument de musique □ **attirer leurs gens :** faire venir leurs domestiques
voilà que = il arriva que □ **éperdu(e) :** fou, affolé, hagard
aïeul : ancêtre □ **heurta :** frappa rudement □ **fendit :** ouvrit en deux □ **crâne :** (os de) la tête □ **raide :** d'un coup □ **sol :** surface de la terre □ **s'emportait :** courait seul □ **ombre, f.** ≠ lumière

s'arrêta : stoppa □ **net :** d'un coup □ **sauta :** descendit vite
cervelle : substance grise □ **coulait :** sortait comme un liquide
plaie : lésion ouverte □ **sang :** liquide rouge du corps
(au)près □ **posa :** mit □ **genou(x), m. :** milieu de la jambe
attendit : resta sans rien faire
peu à peu : progressivement

senti(e) : éprouvé

venait de tuer : avait tué peu de temps auparavant

s'épaississaient : devenaient plus denses □ **aigu :** vif, piquant
se leva : se mit debout □ **frissonnant :** tremblant de froid

défaillir : perdre connaissance
son : musique □ **muet :** silencieux
morne : triste, monotone □ **glacé :** très froid, gelé
effrayant : terrifiant

dressa : mit debout □ **coucha sur :** (ici) mit en travers de
se remit en marche : repartit
gris : ivre, troublé par l'alcool
surprenant(e) : extraordinaire
sentier : passage étroit (en forêt)

une grande forme passa. C'était la bête. Une secousse d'épouvante agita le chasseur; quelque chose de froid, comme une goutte d'eau, lui glissa le long des reins, et il fit, ainsi qu'un moine hanté du diable, un grand signe de croix, éperdu à ce retour brusque de l'effrayant rôdeur. Mais ses yeux retombèrent sur le corps inerte couché devant lui, et soudain, passant brusquement de la crainte à la colère, il frémit d'une rage désordonnée.

Alors il piqua son cheval et s'élança derrière le
10 loup.

Il le suivait par les taillis, les ravines et les futaies, traversant les bois qu'il ne reconnaissait plus, l'œil fixé sur la tache blanche qui fuyait dans la nuit descendue sur la terre.

Son cheval aussi semblait animé d'une force et d'une ardeur inconnues. Il galopait le cou tendu, droit devant lui, heurtant aux arbres, aux rochers, la tête et les pieds du mort jeté en travers sur la selle. Les ronces arrachaient les cheveux; le front, battant les troncs
20 énormes, les éclaboussait de sang; les éperons déchiraient des lambeaux d'écorce.

Et soudain, l'animal et le cavalier sortirent de la forêt et se ruèrent dans un vallon, comme la lune apparaissait au-dessus des monts. Ce vallon était pierreux, fermé par des roches énormes, sans issue possible; et le loup acculé se retourna.

François alors poussa un hurlement de joie que les échos répétèrent comme un roulement de tonnerre, et il sauta de cheval, son coutelas à la main.
30 La bête hérissée, le dos rond, l'attendait; ses yeux luisaient comme deux étoiles. Mais, avant de livrer bataille, le fort chasseur, empoignant son frère, l'assit sur

54

secousse : tremblement brusque, choc

épouvante, f. : panique

goutte : petite quantité liquide □ **glissa :** passa □ **rein(s),** m. : bas du dos □ **moine :** religieux □ **diable :** Satan □ **signe de croix :** geste rituel des chrétiens □ **rôdeur :** vagabond

ses yeux retombèrent sur : il regarda de nouveau

frémit : trembla

piqua : frappa avec ses éperons □ **s'élança :** se précipita

taillis, m. : forêt de jeunes arbres □ **futaie(s),** f. : forêt plantée de grands arbres droits

tache : marque de couleur □ **fuyait :** courait pour s'échapper

aussi : également

inconnu(es) : sans précédent □ **tendu :** allongé

rocher(s), m. : roc □ on se tient debout sur ses **pieds**

jeté : placé sans précaution □ **ronce(s),** f. : buisson piquant

arrachaient : enlevaient □ **cheveu(x),** m. : coiffure □ **battant :** tapant □ **éclaboussait :** arrosait □ **déchiraient :** coupaient

lambeau(x), m. : fragment d'étoffe usée □ **écorce, f. :** surface du tronc et de la branche

se ruèrent : se précipitèrent □ **vallon :** petite vallée □ **la lune** éclaire la nuit □ **pierreux :** plein de pierres □ **fermé :** obstrué

roche(s), f. = rocher □ **acculé :** poussé dans un cul-de-sac

se retourna : fit demi-tour

hurlement : cri fort et prolongé

roulement : bruit sourd et continu □ **tonnerre,** m. : fracas du ciel

coutelas : grand couteau

hérissé(e) : ayant les poils durcis □ **dos :** le haut du corps

luisaient : brillaient □ les **étoiles** forment la galaxie □ **livrer bataille :** se battre □ **empoignant :** prenant et serrant

une roche, et soutenant avec des pierres sa tête qui n'était plus qu'une tache de sang, il lui cria dans les oreilles, comme s'il eût parlé à un sourd : « Regarde, Jean, regarde ça ! »

Puis il se jeta sur le monstre. Il se sentait fort à culbuter une montagne, à broyer des pierres dans ses mains. La bête le voulut mordre, cherchant à lui fouiller le ventre ; mais il l'avait saisie par le cou, sans même se servir de son arme, et il l'étranglait doucement, écoutant
10 s'arrêter les souffles de sa gorge et les battements de son cœur. Et il riait, jouissant éperdument, serrant de plus en plus sa formidable étreinte, criant, dans un délire de joie : « Regarde, Jean, regarde ! » Toute résistance cessa ; le corps du loup devint flasque. Il était mort.

Alors François, le prenant à pleins bras, l'emporta et le vint jeter aux pieds de l'aîné en répétant d'une voix attendrie : « Tiens, tiens, tiens, mon petit Jean, le voilà ! »

Puis il replaça sur sa selle les deux cadavres l'un sur
20 l'autre : et il se remit en route.

Il rentra au château, riant et pleurant, comme Gargantua à la naissance de Pantagruel, poussant des cris de triomphe et trépignant d'allégresse en racontant la mort de l'animal, et gémissant et s'arrachant la barbe en disant celle de son frère.

Et souvent, plus tard, quand il reparlait de ce jour, il prononçait, les larmes aux yeux : « Si seulement ce pauvre Jean avait pu me voir étrangler l'autre, il serait mort content, j'en suis sûr ! »
30 La veuve de mon aïeul inspira à son fils orphelin l'horreur de la chasse, qui s'est transmise de père en fils jusqu'à moi.

soutenant : empêchant de tomber □ **pierre(s), f. :** fragment de roc

on entend avec ses deux **oreilles** □ **sourd :** personne qui n'entend pas

se jeta : se précipita □ **fort à :** fort au point de pouvoir

culbuter : renverser □ **broyer :** réduire en morceaux en écrasant

mordre : attaquer avec ses dents □ **cherchant :** essayant

ventre : estomac

se servir de : utiliser

gorge : fond de la bouche □ **battement(s), m. :** pulsation

riait : montrait sa joie □ **jouissant :** ayant du plaisir

étreinte : embrassade vigoureuse

flasque : mou, sans consistance

à pleins bras : en le soulevant complètement

le vint jeter : (style classique) vint le jeter (aussi l. 7)

attendrie : affectueuse □ **tiens** = (fais) attention

replaça : mit encore □ **cadavre(s), m. :** corps d'un mort

se remit en route : repartit

pleurant : versant des larmes (≠ riant)

Gargantua : père de **Pantagruel** (héros fabuleux de Rabelais) dont la mère mourut à sa naissance □ **trépignant :** exultant □ **allégresse, f. :** jubilation □ **gémissant :** se lamentant □ **barbe :** poils abondants sous le visage des hommes

plus tard : beaucoup de temps après ces événements

pauvre (avant le nom) = malheureux

veuve : femme dont le mari est mort □ **orphelin :** enfant qui a perdu un parent □ **s'est transmis(e) :** s'est communiqué(e)

★

Le marquis d'Arville se tut. Quelqu'un demanda : « Cette histoire est une légende, n'est-ce pas ? »

Et le conteur répondit :

« Je vous jure qu'elle est vraie d'un bout à l'autre. »

Alors une femme déclara d'une petite voix douce :

« C'est égal, c'est beau d'avoir des passions pareilles. »

n'est-ce pas?: réponse affirmative attendue
conteur: narrateur
jure: fais le serment □ **d'un bout à l'autre**: totalement

c'est égal: quoi qu'il en soit □ **pareil(les)**: de cette sorte

Grammaire au fil des nouvelles

Remplissez les blancs avec le mot ou la forme grammaticale qui se trouve dans le texte (le premier chiffre renvoie à la page, le second à la ligne) :

Messieurs, je n'ai jamais chassé, mon père ..., mon grand-père ... (de même, 44 - 19).

Ils avaient défendu qu'on les ... jamais en chasse (déranger, 46 - 5).

Suivant une légende ... il était fier, toutes les feuilles de la forêt s'agitaient quand il criait (pron. rel., 46 - 27).

Les ténèbres semblaient ... par l'image de cette bête (hanté, 48 - 14).

On tuait des loups, mais pas ... (pron. démonst., 48 - 20).

On ... peut-être faire bénir une dalle par notre cousin l'évêque (devoir, 50 - 12).

Son cheval se cabra ; ... de François se mit à ruer (pron. démonst., 50 - 19).

Dans cette course éperdue, mon ... heurta du front une branche énorme (= ancêtre, 52 - 4).

Ce silence morne du soir glacé avait quelque chose ... effrayant et ... étrange (prépositions, 52 - 25).

Son cheval aussi semblait animé d'une force et d'une ardeur ... (inconnu, 54 - 15).

L'animal et le cavalier sortirent de la forêt, comme la lune ... au-dessus des monts (apparaître, 54 - 22).

Il se sentait fort ... culbuter une montagne, ... broyer des pierres dans ses mains (prépositions, 56 - 5).

Il replaça sur sa selle les deux ... l'un sur l'autre (= corps morts, 56 - 19).

Si seulement ce pauvre Jean avait pu me voir étrangler l'autre, il ... content (mourir, 56 - 27).

Cette histoire est une légende, ... ? (réponse affirmative attendue, 58 - 2).

À CHEVAL

Sur le thème du malheur qui vous frappe à la fois fortuitement et par votre propre faute, comme s'il vous guettait à la moindre défaillance, Maupassant a écrit plusieurs contes célèbres, si bien que l'on a parfois l'impression de connaître déjà l'histoire et que l'élément de surprise entraîne moins que le sentiment de deviner assez vite quelle sera la fin. Mais *À cheval,* intégré dans le recueil *Mademoiselle Fifi* (1882), précède les contes qui lui sont semblables comme *Le Petit Fût* (dans *Les Sœurs Rondoli,* 1884), ou *La Parure* (dans *Contes du jour et de la nuit,* 1885) et, à la différence des autres, ce récit oppose des personnages qui, n'appartenant pas au même milieu, étaient normalement destinés à ne jamais se rencontrer.

Il faut donc une intervention extérieure : c'est un animal, un cheval, qui joue ici le rôle d'agent fatal. Une fois sa mission accomplie, il quitte la scène discrètement ; il n'en sera plus question.

Il va pourtant subsister une étrange correspondance : l'erreur du jugement porté par Hector sur sa bête de louage annonce jusque dans les gestes — tâter, palper — l'incapacité des médecins à se prononcer sur l'état exact de leur patiente.

Après tout, le destin a-t-il frappé sans prévenir ?

Les pauvres gens vivaient péniblement des petits appointements du mari. Deux enfants étaient nés depuis leur mariage, et la gêne première était devenue une de ces misères humbles, voilées, honteuses, une misère de famille noble qui veut tenir son rang quand même.

Hector de Gribelin avait été élevé en province, dans le manoir paternel, par un vieil abbé précepteur. On n'était pas riche, mais on vivotait en gardant les apparences.

Puis, à vingt ans, on lui avait cherché une position, et
10 il était entré, commis à quinze cents francs, au ministère de la Marine. Il avait échoué sur cet écueil comme tous ceux qui ne sont point préparés de bonne heure au rude combat de la vie, tous ceux qui voient l'existence à travers un nuage, qui ignorent les moyens et les résistances, en qui on n'a pas développé dès l'enfance des aptitudes spéciales, des facultés particulières, une âpre énergie à la lutte, tous ceux à qui on n'a pas remis une arme ou un outil dans la main.

Ses trois premières années de bureau furent hor-
20 ribles.

Il avait retrouvé quelques amis de famille, vieilles gens attardés et peu fortunés aussi, qui vivaient dans les rues nobles, les tristes rues du faubourg Saint-Germain ; et il s'était fait un cercle de connaissances.

Étrangers à la vie moderne, humbles et fiers, ces aristocrates nécessiteux habitaient les étages élevés de maisons endormies. Du haut en bas de ces demeures, les locataires étaient titrés ; mais l'argent semblait rare au premier comme au sixième.

30 Les éternels préjugés, la préoccupation du rang, le souci de ne pas déchoir, hantaient ces familles autrefois brillantes, et ruinées par l'inaction des hommes. Hector

gens, pl. (m. ou f.): personnes □ **péniblement**: laborieusement
appointements, m. pl.: salaire
gêne: situation difficile par manque d'argent
voilé(es): obscur □ **honteuses**: humiliantes
tenir son rang: conserver sa place sociale □ **quand même**: en dépit des difficultés □ **élevé**: éduqué
vieil = vieux, très âgé □ **abbé**: prêtre
vivotait: avait une vie très modeste □ **gardant**: préservant
lui avait cherché: s'était efforcé de lui procurer
commis, m.: employé subalterne □ **1.500 francs** (par an)
avait échoué: était resté □ **écueil**: rocher dans l'eau; ici obstacle □ **point** = pas □ **de bonne heure**: tôt
... à travers un nuage: sans faire attention aux réalités (**nuage**: vapeur dans le ciel) □ **moyens,** m.: ressources
dès: depuis le début de □ **enfance,** f. ≠ vieillesse

âpre: rude, violent □ **lutte**: combat □ **remis** (remettre): donné
outil: objet destiné à accomplir un travail

retrouvé: revu
attardé(s): vivant dans le passé □ **peu fortuné(s)**: pas très riche
triste(s) ≠ gai □ **faubourg Saint-Germain**: ex-quartier aristocratique de Paris □ **connaissance(s),** f.: relation, ami
étranger(s) à: sans rapport avec □ **fier(s)** ≠ humble
étages élevés: niveaux les plus hauts d'une maison
endormi(es): calme □ **demeure(s),** f.: habitation
locataire(s): résident non propriétaire □ **titré(s)**: pourvu d'un titre (duc, comte) de noblesse □ **premier... sixième** (étage)
préjugé(s): opinion toute faite
souci: préoccupation □ **déchoir**: décliner □ **autrefois**: dans un passé ancien

de Gribelin rencontra dans ce monde une jeune fille noble et pauvre comme lui, et l'épousa.

Ils eurent deux enfants en quatre ans.

Pendant quatre années encore, ce ménage, harcelé par la misère, ne connut d'autres distractions que la promenade aux Champs-Élysées, le dimanche, et quelques soirées au théâtre, une ou deux par hiver, grâce à des billets de faveur offerts par un collègue.

10   Mais voilà que, vers le printemps, un travail supplémentaire fut confié à l'employé par son chef, et il reçut une gratification extraordinaire de trois cents francs.

En rapportant cet argent, il dit à sa femme :

« Ma chère Henriette, il faut nous offrir quelque chose, par exemple, une partie de plaisir pour les enfants. »

Et après une longue discussion, il fut décidé qu'on irait déjeuner à la campagne.

« Ma foi, s'écria Hector, une fois n'est pas coutume ;
20   nous louerons un break pour toi, les petits et la bonne, et moi je prendrai un cheval au manège. Cela me fera du bien. »

Et pendant toute la semaine on ne parla que de l'excursion projetée.

Chaque soir, en rentrant du bureau, Hector saisissait son fils aîné, le plaçait à califourchon sur sa jambe, et, en le faisant sauter de toute sa force, il lui disait :

« Voilà comment il galopera, papa, dimanche prochain, à la promenade. »

30   Et le gamin, tout le jour, enfourchait les chaises et les traînait autour de la salle en criant :

« C'est papa à dada. »

rencontra : fit la connaissance d' □ **monde :** milieu social
l'épousa : se maria avec elle

pendant : durant □ **ménage :** couple marié □ **harcelé :** harassé

(les) **Champs-Élysées :** célèbre avenue de Paris (p. 70, l. 10-11)
soirée(s), f. : représentation □ **hiver, m. :** la saison froide
billet(s), m. : ticket □ **de faveur :** obtenu par privilège
voilà que : il arriva que... □ **le printemps** vient après l'hiver
confié : attribué □ **reçut :** passé simple de recevoir
gratification : rémunération

partie de plaisir : pique-nique

irait : conditionnel d'aller □ **déjeuner à la campagne :** prendre
un repas de midi hors de Paris □ **ma foi** = oui □ **une fois...** =
c'est exceptionnel □ **louerons :** prendrons pour un jour □
bonne : domestique □ **cheval :** animal monté par un cavalier □
manège : centre d'équitation
semaine : sept jours
projeté(e) : prévu dans un plan
soir, m. ≠ matin □ **rentrant :** revenant chez lui □ **saisissait :**
prenait vivement □ **aîné :** le plus âgé □ **à califourchon :** comme
un cavalier □ **sauter :** s'élever d'un coup (et redescendre)
voilà comment : c'est ainsi qu'

gamin : enfant □ **enfourchait :** mettait sous lui □ **chaise(s), f. :**
siège □ **traînait :** déplaçait □ **autour de :** dans □ **salle :** pièce
principale □ **dada, m. :** cheval (parler des bébés)

65

Et la bonne elle-même regardait Monsieur d'un œil émerveillé, en songeant qu'il accompagnerait la voiture à cheval ; et pendant tous les repas elle l'écoutait parler d'équitation, raconter ses exploits de jadis, chez son père. Oh ! il avait été à bonne école, et, une fois la bête entre ses jambes, il ne craignait rien, mais rien !

Il répétait à sa femme en se frottant les mains :

« Si on pouvait me donner un animal un peu difficile, je serais enchanté. Tu verras comme je monte ; et, si tu
10 veux, nous reviendrons par les Champs-Élysées au moment du retour du Bois. Comme nous ferons bonne figure, je ne serais pas fâché de rencontrer quelqu'un du Ministère. Il n'en faut pas plus pour se faire respecter de ses chefs. »

Au jour dit, la voiture et le cheval arrivèrent en même temps devant la porte. Il descendit aussitôt, pour examiner sa monture. Il avait fait coudre des sous-pieds à son pantalon, et manœuvrait une cravache achetée la veille.

20 Il leva et palpa, l'une après l'autre, les quatre jambes de la bête, tâta le cou, les côtes, les jarrets, éprouva du doigt les reins, ouvrit la bouche, examina les dents, déclara son âge, et, comme toute la famille descendait, il fit une sorte de petit cours théorique et pratique sur le cheval en général et en particulier sur celui-là, qu'il reconnaissait excellent.

Quand tout le monde fut bien placé dans la voiture, il vérifia les sangles de la selle ; puis, s'enlevant sur un étrier, retomba sur l'animal, qui se mit à danser sous la
30 charge et faillit désarçonner son cavalier.

Hector, ému, tâchait de le calmer :

« Allons, tout beau, mon ami, tout beau. »

regardait: voyait

émerveillé: admiratif □ **songeant**: pensant □ **voiture,** f.: véhicule □ **repas,** m.: nourriture à heures fixes

raconter: dire en détail □ **jadis**: autrefois □ **chez**: au domicile de □ **être à bonne école**: avoir un bon entraînement

craignait (< craindre): redoutait

se frottant les mains: les frictionnant l'une contre l'autre pour montrer sa joie

verras: verbe voir □ **monte**: vais à cheval

reviendrons: ferons le chemin de retour □ **par**: en passant par le **Bois** (de Boulogne) borde l'ouest de Paris □ **ferons bonne figure**: aurons l'air chic □ **fâché**: mécontent

il n'en faut pas plus: c'est suffisant

dit: annoncé, prévu

aussitôt: immédiatement

monture: cheval □ **coudre**: attacher □ **sous-pied(s),** m.: bande élastique □ **pantalon**: vêtement □ **cravache**: fouet du cavalier

la veille: le jour précédent

leva: (ici) prit dans ses mains □ **palpa**: manipula, tâta

cou, côtes, jarrets (genoux arrière), **reins** sont des parties du corps □ **éprouva**: vérifia □ **les dents** sont dans **la bouche** (orifice pour manger)

fit (un)... petit cours: donna une leçon privée

reconnaissait: admettait être

tout le monde: toutes les personnes concernées

sangle(s), f.: fixation □ **selle**: siège □ **s'enlevant**: se haussant

étrier: appui du pied □ **retomba**: redescendit

charge: poids □ **faillit**: fut près de □ **désarçonner**: jeter à terre

ému: troublé □ **tâchait**: s'efforçait

tout beau: doucement, calmez-vous

Puis, quand le porteur eut repris sa tranquillité et le porté son aplomb, celui-ci demanda :

« Est-on prêt ? »

Toutes les voix répondirent :

« Oui. »

Alors il commanda :

« En route ! »

Et la cavalerie s'éloigna.

Tous les regards étaient tendus sur lui. Il trottait à
10 l'anglaise en exagérant les ressauts. A peine était-il retombé sur la selle qu'il rebondissait comme pour monter dans l'espace. Souvent il semblait prêt à s'abattre sur la crinière ; et il tenait ses yeux fixes devant lui, ayant la figure crispée et les joues pâles.

Sa femme, gardant sur ses genoux un des enfants, et la bonne qui portait l'autre, répétaient sans cesse :

« Regardez papa, regardez papa ! »

Et les deux gamins, grisés par le mouvement, la joie et l'air vif, poussaient des cris aigus. Le cheval, effrayé par
20 ces clameurs, finit par prendre le galop, et, pendant que le cavalier s'efforçait de l'arrêter, le chapeau roula par terre. Il fallut que le cocher descendît de son siège pour ramasser cette coiffure, et, quand Hector l'eut reçue de ses mains, il s'adressa de loin à sa femme :

« Empêche donc les enfants de crier comme ça ; tu me ferais emporter ! »

On déjeuna sur l'herbe, dans les bois du Vésinet, avec les provisions déposées dans les coffres.

Bien que le cocher prît soin des trois chevaux, Hector
30 à tout moment se levait pour aller voir si le sien ne manquait de rien ; et il le caressait sur le cou, lui faisant manger du pain, des gâteaux, du sucre.

porteur : (ici) cheval □ **repris** (< reprendre) : récupéré

le porté (mot forgé par ironie) : le cavalier □ **aplomb :** équilibre

prêt : préparé

toutes les voix : toutes les personnes (**voix :** son de la parole)

en route ! = partons !

s'éloigna : prit de la distance

regard(s) : action de regarder □ **tendu(s) :** dirigé

ressaut(s), m. : mouvement rythmé du cavalier □ **à peine...
qu'il :** dès qu'il était retombé, il... □ **rebondissait :** repartait en
l'air □ **souvent :** fréquemment □ **s'abattre :** tomber d'un coup

crinière : cheveux du cou d'un cheval □ **fixe(s) :** droit

figure : face □ **crispé(e) :** contracté □ **joue(s), f. :** partie molle de
la face □ **gardant :** retenant □ **genou(x) :** milieu de la jambe

sans cesse : continuellement

grisé(s) : excité

vif : frais □ **poussaient... =** criaient □ **aigu(s) :** haut □ **effrayé :**
alarmé □ **prendre le galop** = galoper

arrêter : stopper □ **le chapeau** couvre la tête □ **roula :** tomba en
tournant □ **il fallut :** il fut nécessaire □ **cocher :** conducteur de
voiture à cheval □ **ramasser :** prendre à terre □ **coiffure :** (ici)
chapeau □ **de loin :** à distance

empêche... les... : interdis aux enfants

emporter : emmener par le cheval devenu incontrôlable

(Le) Vésinet : commune proche de Paris, au nord-ouest

déposé(es) : placé avec attention □ **coffre(s), m. :** emplacement
fermé, sous le siège □ **prît soin des :** fût attentif aux

ne manquait de rien : avait tout ce qu'il fallait

gâteau(x), m. : pâtisserie

Il déclara :

« C'est un rude trotteur. Il m'a même un peu secoué dans les premiers moments ; mais tu as vu que je m'y suis vite remis : il a reconnu son maître, il ne bougera plus maintenant. »

Comme il avait été décidé, on revint par les Champs-Élysées.

La vaste avenue fourmillait de voitures. Et, sur les côtés, les promeneurs étaient si nombreux qu'on eût dit
10 deux longs rubans noirs se déroulant, depuis l'Arc de Triomphe jusqu'à la place de la Concorde. Une averse de soleil tombait sur tout ce monde, faisait étinceler le vernis des calèches, l'acier des harnais, les poignées des portières.

Une folie de mouvement, une ivresse de vie semblait agiter cette foule de gens, d'équipages et de bêtes. Et l'Obélisque, là-bas, se dressait dans une buée d'or.

Le cheval d'Hector, dès qu'il eut dépassé l'Arc de Triomphe, fut saisi soudain d'une ardeur nouvelle, et il
20 filait à travers les roues au grand trot, vers l'écurie, malgré toutes les tentatives d'apaisement de son cavalier.

La voiture était loin maintenant, loin derrière ; et voilà qu'en face du Palais de l'Industrie, l'animal se voyant du champ, tourna à droite et prit le galop.

Une vieille femme en tablier traversait la chaussée d'un pas tranquille ; elle se trouvait juste sur le chemin d'Hector, qui arrivait à fond de train. Impuissant à maîtriser sa bête, il se mit à crier de toute sa force :
30 « Holà ! hé ! holà ! là-bas ! »

Elle était sourde peut-être, car elle continua paisiblement sa route jusqu'au moment où, heurtée par le

rude : fort □ **secoué** : agité
je m'y suis... remis : j'ai retrouvé mon expérience ancienne
bougera : remuera, fera des mouvements continuels
maintenant : à présent

fourmillait : était remplie d'un très grand nombre de
promeneur(s), m. : qqn. qui fait une promenade
ruban(s) : morceau d'étoffe décoratif □ **se déroulant** : s'étendant
averse : pluie soudaine ; ici au figuré = beaucoup
étinceler : briller vivement
vernis : peinture transparente □ **acier, m.** : métal □ **poignée(s),**
f. : objet pour ouvrir une porte □ **portière(s), f.** : porte de
voiture □ **folie** : délire □ **ivresse** : état provoqué par l'alcool,
jubilation □ **foule** : multitude
se dressait : se tenait droit □ **buée** : vapeur □ **or, m.** : métal
précieux jaune

filait : courait □ **les roues** (des voitures) □ **écurie, f.** : lieu où
logent les chevaux □ **malgré** : en dépit de □ **tentatives**
d'apaisement : efforts pour calmer
derrière ≠ devant
se voyant... : voyant qu'il avait
(avoir) du champ : de l'espace libre pour agir
tablier, m. : vêtement de travail □ **chaussée** : (milieu de la) rue
pas : manière normale de marcher
à fond de train : à vitesse maximum □ **impuissant à** : incapable
de □ **maîtriser** : se rendre maître de, contrôler

sourd(e) : qqn. qui n'entend pas □ **peut-être** : probablement
paisiblement : calmement □ **route** : ligne □ **heurté(e)** : frappé

poitrail du cheval lancé comme une locomotive, elle alla rouler dix pas plus loin les jupes en l'air, après trois culbutes sur la tête.

Des voix criaient :

« Arrêtez-le ! »

Hector, éperdu, se cramponnait à la crinière en hurlant :

« Au secours ! »

Une secousse terrible le fit passer comme une balle
10 par-dessus les oreilles de son coursier et tomber dans les bras d'un sergent de ville qui venait de se jeter à sa rencontre.

En une seconde, un groupe furieux, gesticulant, vociférant, se forma autour de lui. Un vieux monsieur surtout, un vieux monsieur portant une grande décoration ronde et de grandes moustaches blanches, semblait exaspéré. Il répétait :

« Sacrebleu, quand on est maladroit comme ça, on reste chez soi. On ne vient pas tuer les gens dans la rue
20 quand on ne sait pas conduire un cheval. »

Mais quatre hommes, portant la vieille, apparurent. Elle semblait morte, avec sa figure jaune et son bonnet de travers, tout gris de poussière.

« Portez cette femme chez un pharmacien, commanda le vieux monsieur, et allons chez le commissaire de police. »

Hector, entre les deux agents, se mit en route. Un troisième tenait son cheval. Une foule suivait ; et soudain le break parut. Sa femme s'élança, la bonne perdait la
30 tête, les marmots piaillaient. Il expliqua qu'il allait rentrer, qu'il avait renversé une femme, que ce n'était rien. Et sa famille, affolée, s'éloigna.

poitrail : l'avant du corps □ **lancé** : propulsé
dix pas = quelques mètres □ **jupe(s),** f. : vêtement de femme
culbute(s), f. : saut complet sur soi-même

éperdu : désespéré □ **se cramponnait** : se tenait fermement
hurlant : criant furieusement
au secours ! = aidez-moi !
secousse : choc brusque □ **balle** : projectile
on entend avec **les oreilles** □ **coursier** : cheval
sergent de ville : agent de police □ **venait de se jeter** : s'était tout
juste précipité □ **à sa rencontre** : au-devant de lui

surtout : spécialement □ **portant** : ayant de façon visible

sacrebleu (juron) : sacré nom de Dieu □ **maladroit** ≠ adroit
on reste : on ne sort pas de □ **chez soi** : dans sa maison □ **tuer** :
donner la mort (à) □ **conduire** : faire aller, mener
portant : tenant, transportant

de travers : mal mis □ **poussière** : terre sèche pulvérisée

agents (de police) □ **se mit en route** : partit de cet endroit
suivait : venait derrière
s'élança : se précipita □ **perdait la tête** : s'agitait bêtement
marmot(s), m. : enfant □ **piaillaient** : criaient □ **expliqua** : dit
renversé : fait tomber par terre
affolé(e) : perturbé

73

Chez le commissaire, l'explication fut courte. Il donna son nom, Hector de Gribelin, attaché au ministère de la Marine ; et on attendit des nouvelles de la blessée. Un agent envoyé aux renseignements revint. Elle avait repris connaissance, mais elle souffrait effroyablement en dedans, disait-elle. C'était une femme de ménage, âgée de soixante-cinq ans, et dénommée Mme Simon.

Quand il sut qu'elle n'était pas morte, Hector reprit espoir et promit de subvenir aux frais de sa guérison.
10 Puis il courut chez le pharmacien.

Une cohue stationnait devant la porte ; la bonne femme, affaissée dans un fauteuil, geignait, les mains inertes, la face abrutie. Deux médecins l'examinaient encore. Aucun membre n'était cassé, mais on craignait une lésion interne.

Hector lui parla :

« Souffrez-vous beaucoup ?

— Oh ! oui.

— Où ça ?

20   — C'est comme un feu que j'aurais dans les estomacs. »

Un médecin s'approcha :

« C'est vous, monsieur, qui êtes l'auteur de cet accident ?

— Oui, monsieur.

— Il faudrait envoyer cette femme dans une maison de santé ; j'en connais une où on la recevrait à six francs par jour. Voulez-vous que je m'en charge ? »

Hector, ravi, remercia et rentra chez lui soulagé.

30   Sa femme l'attendait dans les larmes : il l'apaisa.

« Ce n'est rien, cette dame Simon va déjà mieux, dans trois jours il n'y paraîtra plus ; je l'ai envoyée dans une

court(e) ≠ long

attendit : resta pour avoir □ **nouvelles :** information □ **blessé(e) :** personne contusionnée □ **aux renseignements :** pour être informé □ **... repris connaissance :** était sortie du coma □ **effroyablement :** terriblement □ **en dedans :** à l'intérieur □ **femme de ménage :** femme chargée des gros travaux et de la propreté (p. 78, l. 1-2) □ **sut :** passé simple de savoir □ **reprit espoir :** eut à nouveau confiance □ **subvenir aux frais :** assumer le coût □ **guérison :** rétablissement complet □ **courut :** alla très vite □ **cohue :** foule tumultueuse

affaissé(e) : tombé sans force □ **fauteuil :** siège □ **geignait :** se lamentait (< geindre) □ **abruti(e) :** stupide □ **médecin(s) :** docteur □ **cassé :** fracturé

parla : dit qqch.

feu : combustion avec des flammes, chaleur intense

s'approcha : vint plus près (de lui)
auteur, m. : responsable

envoyer : faire placer □ **maison de santé :** clinique pour la convalescence □ **recevrait :** accepterait
je m'en charge : je m'occupe de cela
ravi : enchanté □ **remercia :** exprima sa gratitude □ **soulagé :** délivré de sa détresse □ **les larmes** coulent des yeux
va... mieux : son état de santé s'améliore
il n'y paraîtra plus : ce sera comme si rien ne s'était passé

maison de santé ; ce n'est rien. »

Ce n'est rien !

En sortant de son bureau, le lendemain, il alla prendre des nouvelles de Mme Simon. Il la trouva en train de manger un bouillon gras d'un air satisfait.

« Eh bien ? » dit-il.

Elle répondit :

« Oh ! mon pauv' monsieur, ça n' change pas. Je me sens quasiment anéantie. N'y a pas de mieux. »

10   Le médecin déclara qu'il fallait attendre, une complication pouvant survenir.

Il attendit trois jours, puis il revint. La vieille femme, le teint clair, l'œil limpide, se mit à geindre en l'apercevant :

« Je n' peux pu r'muer, mon pauv' monsieur ; je n' peux pu. J'en ai pour jusqu'à la fin de mes jours. »

Un frisson courut dans les os d'Hector. Il demanda le médecin. Le médecin leva les bras :

« Que voulez-vous, monsieur, je ne sais pas moi. Elle
20 hurle quand on essaye de la soulever. On ne peut même changer de place son fauteuil sans lui faire pousser des cris déchirants. Je dois croire ce qu'elle me dit, monsieur ; je ne suis pas dedans. Tant que je ne l'aurai pas vue marcher, je n'ai pas le droit de supposer un mensonge de sa part. »

La vieille écoutait, immobile, l'œil sournois.

Huit jours se passèrent ; puis quinze, puis un mois. Mme Simon ne quittait pas son fauteuil. Elle mangeait du matin au soir, engraissait, causait gaiement
30 avec les autres malades, semblait accoutumée à l'immobilité comme si c'eût été le repos bien gagné par ses cinquante ans d'escaliers montés et descendus, de

sortant de : quittant □ **le lendemain :** le jour suivant
trouva : découvrit □ **en train de** (+ infinitif) : occupé(e) à
manger : consommer □ **bouillon :** soupe □ **gras :** riche
eh bien ? = alors ?

pauv' = pauvre
quasiment : presque □ **anéanti(e) :** détruit □ **n'y a pas de mieux :**
il n'y a pas d'amélioration □ **attendre :** patienter
survenir : arriver à tout moment par surprise

teint : coloris du visage
apercevant : remarquant
n'... pu = ne... plus □ **r'muer** = remuer, bouger
j'en ai pour : je resterai comme cela
frisson : courant froid □ **les os** = le corps □ **demanda le :** fit
venir (≠ demanda au)
que voulez-vous (que je vous dise ?)
soulever : prendre pour la mettre debout

déchirant(s) : insupportable □ **dois :** suis obligé de □ **croire :**
considérer comme vrai □ **tant que :** aussi longtemps que
je n'ai pas le droit de : je ne suis pas autorisé à
mensonge : affirmation contraire à la vérité □ **de sa part** =
d'elle □ **écoutait :** était attentive □ **sournois :** dissimulant ses
pensées, hypocrite □ **mois :** 30 jours
ne quittait pas : restait continuellement dans
engraissait : devenait plus grosse □ **causait :** parlait
malade(s) : personne qui a perdu la santé
repos : loisir □ **bien gagné :** bien mérité
escalier(s) : communication entre les étages

matelas retournés, de charbon porté d'étage en étage, de coups de balai et de coups de brosse.

Hector éperdu venait chaque jour ; chaque jour il la trouvait tranquille et sereine, et déclarant :

« Je n' peux pu r'muer, mon pauv' monsieur, je n' peux pu. »

Chaque soir, Mme de Gribelin demandait, dévorée d'angoisses :

« Et Mme Simon ? »

10   Et, chaque fois, il répondait avec un abattement désespéré :

« Rien de changé, absolument rien ! »

On renvoya la bonne, dont les gages devenaient trop lourds. On économisa davantage encore, la gratification tout entière y passa.

Alors Hector assembla quatre grands médecins qui se réunirent autour de la vieille. Elle se laissa examiner, tâter, palper, en les guettant d'un œil malin.

« Il faut la faire marcher », dit l'un.

20   Elle s'écria :

« Je n' peux pu, mes bons messieurs, je n' peux pu ! »

Alors ils l'empoignèrent, la soulevèrent, la traînèrent quelques pas ; mais elle leur échappa des mains et s'écroula sur le plancher en poussant des clameurs si épouvantables qu'ils la reportèrent sur son siège avec des précautions infinies.

Ils émirent une opinion discrète, concluant cependant à l'impossibilité du travail.

30   Et, quand Hector apporta cette nouvelle à sa femme, elle se laissa choir sur une chaise en balbutiant :

« Il vaudrait encore mieux la prendre ici, ça nous

retourné(s) : le dessus mis dessous □ **charbon,** m. : combustible
coups de... : gestes vifs faits avec... un **balai** (pour nettoyer par terre),... une **brosse** (pour enlever les traces de saleté)

angoisse(s), f. : anxiété

abattement : démoralisation

renvoya : fit partir □ **gages,** pl. : rémunération d'un domestique
davantage : plus
y passa : fut dépensée

se réunirent : eurent une réunion
guettant : observant □ **malin :** intelligent, rusé

empoignèrent : prirent fermement
échappa : glissa
s'écroula : tomba brusquement □ **sur le plancher :** par terre
épouvantable(s) : terrifiant(es)

émirent : (< émettre) prononcèrent, formulèrent □ **cependant :** malgré toutes leurs hésitations

se laissa choir : tomba sans résistance □ **balbutiant :** disant avec difficulté □ **il vaudrait... mieux :** il serait préférable

coûterait moins cher. »

Il bondit :

« Ici, chez nous, y penses-tu ? »

Mais elle répondit, résignée à tout maintenant, et avec des larmes dans les yeux :

« Que veux-tu, mon ami, ce n'est pas ma faute !... »

coûterait : ferait dépenser
bondit : sauta d'indignation
y penses-tu ? = c'est impossible

que veux-tu (que je te dise ?)

Grammaire au fil des nouvelles

Remplissez les blancs avec le mot ou la forme grammaticale qui se trouve dans le texte (le premier chiffre renvoie à la page, le second à la ligne) :

Les pauvres gens vivaient péniblement. Deux enfants ... depuis leur mariage (naître, 62 - 1).

Il avait échoué sur cet écueil comme tous ... qui ne sont point préparés au rude combat de la vie (pron. démonst., 62 - 11).

Après une longue discussion, il fut décidé qu'on ... déjeuner à la campagne (aller, 64 - 17).

Souvent il semblait prêt à s'abattre sur la ... (= cheveux du cou d'un cheval, 68 - 12).

Il fallut que le cocher ... de son siège pour ramasser cette coiffure (descendre, 68 - 22).

Bien que le cocher ... soin des trois chevaux, Hector à tout moment se levait pour aller voir si ... ne manquait de rien (prendre ; pron. poss., 68 - 29).

Impuissant ... maîtriser sa bête, il se mit ... crier de toute sa force (prépositions, 70 - 28).

Elle était ... peut-être, car elle continua paisiblement sa route (= incapable d'entendre, 70 - 31).

« Portez cette femme ... un pharmacien, commanda le vieux monsieur (préposition = au domicile de, 72 - 24).

Quand il ... qu'elle n'était pas morte, Hector reprit espoir (savoir, 74 - 8).

« C'est vous, monsieur, qui ... l'auteur de cet accident ? » (être, 74 - 23).

Tant que je ne l'... pas ... marcher, je n'ai pas le droit de supposer un mensonge de sa part (voir, 76 - 23).

On renvoya la bonne, ... les gages devenaient trop lourds (pron. rel., 78 - 13).

Il vaudrait encore mieux la prendre ici, ça nous ... moins cher (coûter, 78 - 32).

HISTOIRE D'UN CHIEN

Histoire d'un chien parut dans le journal *Le Gaulois* en juin 1881. Une deuxième version du même récit y paraîtra en 1883 sous le titre *Mademoiselle Cocotte*. Cette première version précède *Pierrot* de quelques mois et compte, semble-t-il, parmi les premières manifestations dans l'œuvre de Maupassant de sa pitié pour les bêtes.

Il ne manque pas de présenter cette nouvelle comme une chronique de son temps, qui « n'a qu'un mérite : elle est vraie, entièrement vraie » et d'en faire un témoignage destiné à soutenir l'action de la Société protectrice des animaux.

La véracité dont se réclame l'écrivain est impossible à vérifier dans les faits, qui vont au-delà d'une réalité ordinaire. Mais il s'agit pour lui, surtout, de mettre en lumière l'authenticité des liens qui peuvent se tisser entre les animaux et les hommes. Le cocher François et sa chienne ont en commun la solitude, la disgrâce physique, une sorte de sympathie réciproque. Lorsqu'il est contraint de perdre Cocote, il en perd la raison.

Dès lors, on se rappelle que c'est la chienne qui était venue choisir son maître, un « bon garçon », non l'inverse. Et c'est bien elle que nous croyons aussi voir revenir étrangement du fond de son lit fluvial pour le lui dire.

Toute la Presse a répondu dernièrement à l'appel de la Société protectrice des animaux, qui veut fonder un *Asile* pour les bêtes. Ce serait là une espèce d'hospice, et un refuge où les pauvres chiens sans maître trouveraient la nourriture et l'abri, au lieu du nœud coulant que leur réserve l'administration.

Les journaux, à ce propos, ont rappelé la fidélité des bêtes, leur intelligence, leur dévouement. Ils ont cité des traits de sagacité étonnante. Je veux à mon tour raconter
10 l'histoire d'un chien perdu, mais d'un chien du commun, laid, d'allure vulgaire. Cette histoire, toute simple, est vraie de tout point.

★

Dans la banlieue de Paris, sur les bords de la Seine, vit une famille de bourgeois riches. Ils ont un hôtel élégant, grand jardin, chevaux et voitures, et de nombreux domestiques. Le cocher s'appelle François. C'est un gars de la campagne, à moitié dégourdi seulement, un peu lourdaud, épais, obtus, et bon
20 garçon.

Comme il rentrait un soir chez ses maîtres, un chien se mit à le suivre. Il n'y prit point garde d'abord ; mais l'obstination de la bête à marcher sur ses talons le fit bientôt se retourner. Il regarda s'il connaissait ce chien : mais non, il ne l'avait jamais vu.

C'était une chienne d'une maigreur affreuse, avec de grandes mamelles pendantes. Elle trottinait derrière l'homme d'un air lamentable et affamé, la queue serrée entre les pattes, les oreilles collées contre la tête ; et,
30 quand il s'arrêtait, elle s'arrêtait, repartant quand il repartait.

Il voulut chasser ce squelette de bête ; et cria : « Va-

répondu : réagi favorablement □ **dernièrement** : récemment
fonder : créer □ **asile** : centre d'accueil
espèce : sorte
chien(s), m. : animal ami de l'homme □ **trouveraient** : auraient
nourriture : alimentation □ **abri**, m. : logement □ **nœud coulant**
= la mort (donnée avec une corde au cou pour les étrangler)
journaux : organes de presse □ **... propos** : ... sujet □ **rappelé** :
fait revenir en mémoire □ **dévouement**, m. : entier attachement
trait(s), m. : signe □ **étonnant(e)** : surprenant □ **à mon tour** : moi
aussi □ **perdu** : abandonné □ **du commun** : très ordinaire
laid ≠ beau □ **allure**, f. : aspect

Le début du récit (l. 14 à 20) est au présent historique □
banlieue : région proche d'une grande ville □ **bord(s)**, m. : côté
□ **vit** : habite □ **hôtel** : grande maison privée à la ville □ **jardin** :
parc □ **chevaux** : animaux □ **voiture(s)**, f. : véhicule □ **cocher** :
domestique chargé des voitures □ **s'appelle** : a pour nom □
gars : jeune homme □ **campagne** ≠ ville □ **moitié** : demi □
dégourdi : capable □ **lourdaud** : maladroit □ **épais** ≠ fin □ **bon
garçon** = de bon caractère □ **rentrait** : revenait
suivre : aller derrière □ **prit... garde** : fit attention □ **d'abord** : au
début □ **sur ses talons** : tout près derrière (**talon** : partie arrière
du pied) □ **bientôt** : peu après □ **se retourner** : tourner la tête

maigreur ≠ grosseur □ **affreuse** : horrible à voir
mamelle(s) : partie du ventre où vient le lait □ **pendant(es)** :
descendant □ **affamé** : qui a faim □ **queue** ≠ tête □ **serré(e)** :
pressé □ **patte(s)**, f. : jambe d'une bête □ **collé(es)** : fixé
s'arrêtait : faisait halte □ **repartant** : marchant de nouveau

chasser : faire partir brutalement □ **va-t'en** : pars !

t'en, veux-tu te sauver, houe! houe! » Elle s'éloigna de deux ou trois pas, et se planta sur son derrière, attendant; puis, dès que le cocher se remit en marche, elle repartit derrière lui.

Il fit semblant de ramasser des pierres. L'animal s'enfuit un peu plus loin, avec un grand ballottement de ses mamelles flasques; mais il revint aussitôt que l'homme eut le dos tourné. Alors le cocher François l'appela. La chienne s'approcha timidement, l'échine
10 pliée comme un cercle et toutes les côtes soulevant la peau. Il caressa ces os saillants, et, pris de pitié pour cette misère de bête : « Allons, viens! » dit-il. Aussitôt elle remua la queue, se sentant accueillie, adoptée, et au lieu de rester dans les mollets du maître qu'elle avait choisi, elle commença à courir devant lui.

Il l'installa sur la paille de l'écurie, puis courut à la cuisine chercher du pain. Quand elle eut mangé tout son soûl, elle s'endormit, couchée en rond.

20 Le lendemain, les maîtres, avertis par le cocher, permirent qu'il gardât l'animal. Cependant la présence de cette bête dans la maison devint bientôt une cause d'ennuis incessants. Elle était assurément la plus dévergondée des chiennes; et, d'un bout à l'autre de l'année, les prétendants à quatre pattes firent le siège de sa demeure. Ils rôdaient sur la route, devant la porte, se faufilaient par toutes les issues de la haie vive qui clôturait le jardin, dévastaient les plates-bandes, arrachant les fleurs, faisant des trous dans les corbeilles,
30 exaspéraient le jardinier. Jour et nuit c'était un concert de hurlements et des batailles sans fin.

Les maîtres trouvaient jusque dans l'escalier, tantôt de

te sauver: partir rapidement □ **s'éloigna**: prit de la distance

deux ou trois pas: un mètre □ **se planta**: se posta assise □ **derrière**: postérieur □ **attendant**: ne faisant rien □ **puis**: ensuite □ **se remit en marche**: recommença à marcher

fit semblant de: feignit □ **ramasser des pierres**: prendre par terre des projectiles □ **s'enfuit**: courut □ **ballottement**: balancement □ **flasque(s)**: sans consistance □ **aussitôt que**: dès que □ **dos**: arrière du corps

l'appela: la fit venir □ **s'approcha**: vint plus près □ **échine**: haut du dos □ **plié(e)**: courbé □ **les côtes** forment le thorax

peau: enveloppe du corps □ **os**: parties dures □ **saillant(s)**: proéminent

remua: agita □ **accueilli(e)**: accepté

mollet(s), m.: muscle à l'arrière de la jambe

devant ≠ derrière

paille: restes secs du blé □ **écurie**, f.: logement des chevaux

cuisine: pièce où on prépare à manger □ **tout son soûl**: autant qu'elle le désirait □ **s'endormit**: commença de dormir □ **couché(e)**: allongé

le lendemain: le jour suivant □ **averti(s)**: instruit

permirent: (< permettre) autorisèrent □ **gardât**: conservât

devint: fut progressivement

ennui(s): dérangement □ **dévergondé(e)**: licencieux, impudique

prétendant(s), m.: amoureux

demeure: maison □ **rôdaient**: allaient çà et là □ **se faufilaient**: pénétraient adroitement □ **issue(s)**: trou □ **haie**: barrière de plantes □ **clôturait**: fermait □ **plates-bandes**, f.: parterres

arrachant: détruisant □ **trou(s)**, m.: vide □ **corbeille(s)**, f.: parterre rond ou ovale □ **le jardinier** cultive des jardins

hurlement(s), m.: cris furieux

jusque dans l'escalier: même en montant □ **tantôt... tantôt...**:

87

petits roquets à queue empanachée, des chiens jaunes, rôdeurs de bornes, vivant d'ordures, tantôt des terre-neuve énormes à poils frisés, des caniches moustachus, tous les échantillons de la race aboyante.

La chienne, que François avait, sans malice, appelée « Cocote » (et elle méritait son nom), recevait tous ces hommages ; et elle produisait, avec une fécondité vraiment phénoménale, des multitudes de petits chiens de toutes les espèces connues. Tous les quatre mois, le
10 cocher allait à la rivière noyer une demi-douzaine d'êtres grouillants, qui piaulaient déjà et ressemblaient à des crapauds.

Cocote était maintenant devenue énorme. Autant elle avait été maigre, autant elle était obèse, avec un ventre gonflé sous lequel traînaient toujours ses longues mamelles ballottantes. Elle avait engraissé tout d'un coup, en quelques jours ; et elle marchait avec peine, les pattes écartées, à la façon des gens trop gros, la gueule ouverte pour souffler, et exténuée aussitôt qu'elle s'était
20 promenée dix minutes.

Le cocher François disait d'elle : « C'est une bonne bête pour sûr, mais qu'est, ma foi, bien déréglée. »

Le jardinier se plaignait tous les jours. La cuisinière en fit autant. Elle trouvait des chiens sous son fourneau, sous les chaises, dans la soupente au charbon ; et ils volaient tout ce qui traînait.

Le maître ordonna à François de se débarrasser de Cocote. Le domestique désespéré pleura, mais il dut obéir. Il offrit la chienne à tout le monde. Personne n'en
30 voulut. Il essaya de la perdre ; elle revint. Un voyageur de commerce la mit dans le coffre de sa voiture pour la lâcher dans une ville éloignée. La chienne retrouva sa

alternativement □ **roquet(s)** : chien agressif □ **empanaché(e)** : volumineux □ **borne(s), f.** : grosse pierre □ **ordure(s), f.** : saleté □ **terre-neuve,... caniches** : races de chiens □ **poils frisés** : fourrure bouclée □ **échantillon(s)** : exemple □ **aboyant(e)** : qui produit les cris du chien □ **malice** : ironie

cocot(t)e : prostituée (argot), ou par affection « chérie »
produisait : donnait naissance à

espèce(s) : sorte
noyer : faire mourir sous l'eau
grouillant(s) : agité □ **piaulaient** : criaient en gémissant
crapaud(s), m. : petit animal brun, qui saute très haut
autant... : dans la mesure où
... autant : dans la même proportion
gonflé : ballonné □ **traînaient** : pendaient à terre
avait engraissé : était devenue grasse

écarté(es) : séparé □ **gueule** : bouche d'un animal
souffler : respirer □ **s'était promenée** : avait fait une promenade

qu' = qui □ **ma foi** : oui □ **déréglé(e)** : dépravé
se plaignait : se lamentait □ **cuisinière** : femme qui fait la cuisine
fourneau : appareil pour rôtir et cuire
chaise(s), f. : siège □ **soupente** : cave □ **charbon** : combustible
volaient : prenaient en fraude, emportaient
ordonna : commanda □ **se débarrasser de** : faire partir, quitter
pleura : versa des larmes □ **dut** : fut obligé de
tout le monde : tous les gens
essaya : s'efforça □ **perdre** : abandonner dans un lieu inconnu
□ **voyageur de commerce** : représentant □ **coffre** : emplacement sous le siège □ **lâcher** : libérer □ **éloigné(e)** : distante

route, et, malgré sa bedaine tombante, sans manger sans doute, en un jour, elle fut de retour ; et elle rentra tranquillement se coucher dans son écurie.

Cette fois, le maître se fâcha et, ayant appelé François, lui dit avec colère : « Si vous ne me flanquez pas cette bête à l'eau avant demain, je vous fiche à la porte, entendez-vous ! »

L'homme fut atterré, il adorait Cocote. Il remonta
10 dans sa chambre, s'assit sur son lit, puis fit sa malle pour partir. Mais il réfléchit qu'une place nouvelle serait impossible à trouver, car personne ne voudrait de lui tant qu'il traînerait sur ses talons cette chienne, toujours suivie d'un régiment de chiens. Donc il fallait s'en défaire. Il ne pouvait la placer ; il ne pouvait la perdre, la rivière était le seul moyen. Alors il pensa à donner vingt sous à quelqu'un pour accomplir l'exécution. Mais à cette pensée, un chagrin aigu lui vint ; il réfléchit qu'un autre peut-être la ferait souffrir, la battrait en route, lui
20 rendrait durs les derniers moments, lui laisserait comprendre qu'on voulait la tuer, car elle comprenait tout, cette bête ! Et il se décida à faire la chose lui-même.

Il ne dormit pas. Dès l'aube, il fut debout, et, s'emparant d'une forte corde, il alla chercher Cocote. Elle se leva lentement, se secoua, étira ses membres et vint fêter son maître.

Alors il s'assit et, la prenant sur ses genoux, la caressa longtemps, l'embrassa sur le museau ; puis, se levant, il dit : « Viens. » Et elle remua la queue, comprenant qu'on
30 allait sortir.

Ils gagnèrent la berge, et il choisit une place où l'eau semblait profonde.

malgré : en dépit de □ **bedaine** : gros ventre □ **tombant(e)** : pendant à terre

se fâcha : fut irrité
colère, f. : fureur □ **flanquez** : (vulgaire) jetez brutalement
fiche : (vulgaire) mets ; **ficher qqn. à la porte** = le renvoyer

atterré : consterné
chambre : pièce où on dort □ **lit** : meuble pour dormir □ **malle** : très gros bagage □ **réfléchit** : pensa □ **place** : emploi, poste
voudrait de lui : l'accepterait (comme employé)
tant qu' : aussi longtemps qu'
s'en défaire : ne plus la garder avec lui
placer : lui trouver un maître
moyen : possibilité
vingt sous = 1 franc
chagrin : peine □ **aigu** : soudain et extrême
la battrait : lui ferait du mal, la frapperait
rendrait : ferait ressentir □ **dur(s)** : cruel
tuer : donner la mort

aube, f. : commencement du jour □ **debout** = sorti de son lit
s'emparant d' : prenant
se leva (sur ses pattes) □ **se secoua** : agita son corps □ **étira** : mit en extension □ **fêter** : manifester sa joie à
genou(x), m. : milieu de la jambe
l'embrassa : lui donna un baiser □ **museau** : nez et gueule d'un animal

gagnèrent : allèrent jusqu'à □ **berge** : bord de la rivière

Alors il noua un bout de la corde au cou de la bête, et, ramassant une grosse pierre, l'attacha à l'autre bout. Après quoi, il saisit sa chienne en ses bras et la baisa furieusement, comme une personne qu'on va quitter. Il la tenait serrée sur sa poitrine, la berçait; et elle se laissait faire, en grognant de satisfaction.

Dix fois, il la voulut jeter; chaque fois, la force lui manqua. Mais tout à coup il se décida et, de toute sa force, il la lança le plus loin possible. Elle flotta une
10 seconde, se débattant, essayant de nager comme lorsqu'on la baignait; mais la pierre l'entraînait au fond; elle eut un regard d'angoisse; et sa tête disparut la première, pendant que ses pattes de derrière, sortant de l'eau, s'agitaient encore. Puis quelques bulles d'air apparurent à la surface. François croyait voir sa chienne se tordant dans la vase du fleuve.

Il faillit devenir idiot, et pendant un mois il fut malade, hanté par le souvenir de Cocote qu'il entendait
20 aboyer sans cesse.

Il l'avait noyée vers la fin d'avril. Il ne reprit sa tranquillité que longtemps après. Enfin il n'y pensait plus guère, quand, vers le milieu de juin, ses maîtres partirent et l'emmenèrent aux environs de Rouen où ils allaient passer l'été.

Un matin, comme il faisait très chaud, François sortit pour se baigner dans la Seine. Au moment d'entrer dans l'eau, une odeur nauséabonde le fit regarder autour de lui, et il aperçut dans les roseaux une charogne, un corps
30 de chien en putréfaction. Il s'approcha, surpris par la couleur du poil. Une corde pourrie serrait encore le cou. C'était sa chienne, Cocote, portée par le courant à

noua : attacha □ **bout** : extrémité □ **cou** : partie du corps sous la tête

après quoi = après avoir fait cela □ **baisa** : donna un baiser

poitrine : devant du corps □ **berçait** : remuait doucement (comme un bébé) □ **grognant** : criant un peu

force : (ici) courage

manqua : fut absent, insuffisant □ **tout à coup** : soudainement

lança : jeta

se débattant : combattant □ **nager** : se déplacer dans l'eau

baignait : lavait □ **entraînait** : tirait, emportait

regard d'angoisse : manière de regarder qui exprime l'angoisse

bulle(s), f. : petite balle de liquide remplie d'air

croyait : avait l'impression de

tordant : contorsionnant □ **vase** : fond boueux □ **fleuve** : rivière

faillit : risqua de

malade : en mauvaise santé

vers : approximativement à □ **reprit** : recouvra

enfin : finalement □ **n'y pensait plus guère** = l'oubliait presque complètement

emmenèrent : prirent avec eux □ **aux environs** : à proximité

été, m. : saison du beau temps

se baigner : aller nager

nauséabond : dégoûtant

aperçut : remarqua □ **roseaux** : plantes aquatiques □ **charogne** : corps d'animal mort depuis longtemps

poil : pelage, cheveu □ **pourri(e)** : décomposé

soixante lieues de Paris.

Il restait debout avec de l'eau jusqu'aux genoux, effaré, bouleversé comme devant un miracle, en face d'une apparition vengeresse. Il se rhabilla tout de suite et, pris d'une peur folle, se mit à marcher au hasard devant lui, la tête perdue. Il erra tout le jour ainsi et, le soir venu, demanda sa route, qu'il ne retrouvait plus. Jamais depuis il n'a osé toucher un chien.

★

10   Cette histoire n'a qu'un mérite : elle est vraie, entièrement vraie. Sans la rencontre étrange du chien mort, au bout de six semaines et à soixante lieues plus loin, je ne l'eusse point remarquée, sans doute ; car combien en voit-on, tous les jours, de ces pauvres bêtes sans abri !

Si le projet de la Société protectrice des animaux réussit, nous rencontrerons peut-être moins de ces cadavres à quatre pattes échoués sur les berges du fleuve.

lieue, f. : environ 4 kilomètres

effaré : hagard □ **bouleversé** : ému, très troublé
vengeresse, f. : animée par la vengeance □ **se rhabilla** : remit ses
vêtements □ **peur** : crainte □ **fol(le)** : insensé
erra : marcha sans destination

depuis : après cela □ **osé** : eu le courage de

rencontre : découverte
au bout : à la fin, après
eusse... remarquée : conditionnel passé 2 = aurais...

réussit : a du succès
cadavre(s), m. : corps mort □ **échoué(s)** : poussé par l'eau, arrêté

Grammaire au fil des nouvelles

Remplissez les blancs avec le mot ou la forme grammaticale qui se trouve dans le texte (le premier chiffre renvoie à la page, le second à la ligne) :

La Presse a répondu à l'appel de la Société protectrice des animaux, ... veut fonder un *Asile* pour les bêtes (pron. rel., 84 - 1).

Les journaux ont rappelé la fidélité des bêtes, ... intelligence, ... dévouement (adj. poss., 84 - 7).

Dans la ... de Paris vit une famille de bourgeois riches (= région proche d'une grande ville, 84 - 14).

Il ... ramasser des pierres (= feignit, 86 - 5).

Quand elle ... tout son soûl, elle s'endormit (manger, 86 - 17).

Les maîtres, avertis par le cocher, permirent qu'il ... l'animal (garder, 86 - 20).

... elle avait été maigre, ... elle était obèse (= dans la mesure où, dans la même proportion, 88 - 13).

Le jardinier ... tous les jours (se plaindre, 88 - 23).

Il réfléchit qu'un autre peut-être la ... souffrir, la ... en route (faire, battre, 90 - 18).

Dix fois, il la voulut jeter ; chaque fois, la force lui ... (manquer, 92 - 7).

Il fut malade, hanté par le souvenir de Cocote qu'il ... aboyer sans cesse (entendre, 92 - 19).

Il aperçut dans les roseaux une ..., un corps de chien en putréfaction (= vieux cadavre d'animal, 92 - 29).

Si le projet de la Société protectrice des animaux réussit, nous ... peut-être moins de ces cadavres sur les berges du fleuve (rencontrer, 94 - 16).

♥

L'ÂNE

Ce conte fait partie du recueil *Miss Harriet* (1884).

On ne peut qu'être frappé par la richesse des thèmes qui s'entrecroisent, par l'extrême variété des tons et des situations, qui vont du bucolique à la farce, et par le portrait de deux sinistres individus, qui seraient appelés aujourd'hui des marginaux, si modernes déjà pour leur délectation à se conduire en brutes épaisses.

Une structure naturelle unit pourtant toutes les disparates et tous les rebondissements du récit : l'eau et les rives d'un fleuve tranquille. On les admire comme des Monet, des Renoir, des Sisley. Avec ces peintres de l'époque, ses amis, Maupassant a connu la beauté des paysages d'Ile-de-France. Mais, tout en chantant comme eux, à sa manière, leurs splendeurs, il ne peut s'empêcher de décrire aussi d'inquiétants personnages, sortis on ne sait d'où, venus là pour tout souiller.

Entre la splendeur paisible de la nature et l'enfer des hommes, un passant, un âne, vient glisser sa « peau »...

Aucun souffle d'air ne passait dans la brume épaisse endormie sur le fleuve. C'était comme un nuage de coton terne posé sur l'eau. Les berges elles-mêmes restaient indistinctes, disparues sous de bizarres vapeurs festonnées comme des montagnes. Mais le jour étant près d'éclore, le coteau commençait à devenir visible. À son pied, dans les lueurs naissantes de l'aurore, apparaissaient peu à peu les grandes taches blanches des maisons cuirassées de plâtre. Des coqs chantaient dans
10 les poulaillers.

Là-bas, de l'autre côté de la rivière, ensevelie sous le brouillard, juste en face de la Frette, un bruit léger troublait par moments le grand silence du ciel sans brise. C'était tantôt un vague clapotis, comme la marche prudente d'une barque, tantôt un coup sec, comme un choc d'aviron sur un bordage, tantôt comme la chute d'un objet dans l'eau. Puis, plus rien.

Et parfois des paroles basses, venues on ne sait d'où, peut-être de très loin, peut-être de très près, errantes
20 dans ces brumes opaques, nées sur la terre ou sur le fleuve, glissaient, timides aussi, passaient, comme ces oiseaux sauvages qui ont dormi dans les joncs et qui partent aux premières pâleurs du ciel, pour fuir encore, pour fuir toujours, et qu'on aperçoit une seconde traversant la brume à tire-d'aile en poussant un cri doux et craintif qui réveille leurs frères le long des berges.

Soudain, près de la rive, contre le village, une ombre apparut sur l'eau, à peine indiquée d'abord ; puis elle
30 grandit, s'accentua, et, sortant du rideau nébuleux jeté sur la rivière, un bateau plat, monté par deux hommes,

souffle : courant □ **la brume** réduit la visibilité □ **épais(se)** ≠ léger □ **endormi(e) :** immobile □ **fleuve :** rivière □ **un nuage** passe dans le ciel □ **terne** ≠ brillant □ **berge(s) :** bord du fleuve (la Seine) □ **disparu(es) :** devenu invisible

les Alpes sont **des montagnes**

éclore : apparaître, naître □ **coteau :** petite colline

lueur(s) : faible lumière □ **naissant(es) :** qui débute □ **aurore, f. :** commencement du jour □ **peu à peu :** progressivement □ **tache(s) :** marque de couleur □ **cuirassé(es) :** recouvert □ **plâtre, m. :** produit blanc □ **poulailler(s), m. :** logement des poules

là-bas : à distance □ **enseveli(e) sous :** enveloppé dans

brouillard : brume dense □ **en face de :** devant □ **bruit** ≠ silence

ciel : espace au-dessus de la terre □ **brise, f. :** vent

tantôt : parfois □ **clapotis :** bruit léger fait par l'eau

coup sec : bruit d'un choc rapide

on fait avancer une barque avec deux **avirons** □ **bord(age)** □ **chute :** le fait de tomber

parole(s) : mot □ **bas(ses) :** prononcé faiblement

peut-être : probablement □ **errant(es) :** allant au hasard

né(es) : venu, apparu ; participe passé de naître

glissaient : passaient graduellement

oiseau(x) : animal qui vole □ **dormi :** reposé la nuit □ **joncs, m. :** plantes aquatiques □ **pâleur(s) :** blancheur □ **fuir :** partir hâtivement □ **aperçoit :** voit à distance

traversant : parcourant □ **à tire-d'aile :** très vite (l'oiseau vole en actionnant ses ailes) □ **réveille :** finit le sommeil de

rive = berge □ **contre :** près de □ **le village :** la Frette (l. 12) □ **ombre** ≠ lumière □ **d'abord :** au commencement

grandit : devint grande □ **rideau :** protection en étoffe □ **jeté :** répandu □ **bateau :** barque □ **plat :** sans quille □ **monté :** occupé

vint s'échouer contre l'herbe.

Celui qui ramait se leva et prit au fond de l'embarcation un seau plein de poissons ; puis il jeta sur son épaule l'épervier encore ruisselant. Son compagnon, qui n'avait pas remué, prononça :

« Apporte ton fusil, nous allons dégoter quéque lapin dans les berges, hein, Mailloche ? »

L'autre répondit :

« Ça me va. Attends-moi, je te rejoins. »

10   Et il s'éloigna pour mettre à l'abri leur pêche.

L'homme resté dans la barque bourra lentement sa pipe et l'alluma.

Il s'appelait Labouise dit Chicot, et était associé avec son compère Maillochon, vulgairement appelé Mailloche, pour exercer la profession louche et vague de ravageurs.

Mariniers de bas étage, ils ne naviguaient régulièrement que dans les mois de famine. Le reste du temps ils ravageaient. Rôdant jour et nuit sur le fleuve, guettant
20   toute proie morte ou vivante, braconniers d'eau, chasseurs nocturnes, sortes d'écumeurs d'égouts, tantôt à l'affût des chevreuils de la forêt de Saint-Germain, tantôt à la recherche des noyés filant entre deux eaux et dont ils soulageaient les poches, ramasseurs de loques flottantes, de bouteilles vides qui vont au courant la gueule en l'air avec un balancement d'ivrognes, de morceaux de bois partis à la dérive, Labouise et Maillochon se la coulaient douce.

Par moments, ils partaient à pied, vers midi, et s'en
30   allaient en flânant devant eux. Ils dînaient dans quelque auberge de la rive et repartaient encore côte à côte. Ils demeuraient absents un jour ou deux ; puis un matin on

s'échouer : sortir de l'eau

ramait : manœuvrait les rames (ou avirons) □ **se leva** : se mit debout □ **seau** : récipient □ **poisson(s)** : animal vivant dans l'eau

épaule, f. : haut du bras □ **épervier, m.** : filet pour prendre les poissons □ **ruisselant** : couvert d'eau □ **remué** : fait un mouvement □ **fusil** : arme □ **dégoter** : découvrir □ **qu(el)que** □ **lapin** : animal à longues oreilles □ **hein ?** = n'est-ce pas ?

répondit : répliqua

ça me va = d'accord □ **attends-moi** : ne pars pas sans moi

s'éloigna : alla à distance □ **abri** : endroit protégé □ **pêche, f.** : les poissons pris □ **bourra** : mit (du tabac) dans □ **lentement** : sans hâte □ **l'alluma** : y porta du feu pour fumer

s'appelait : avait pour nom □ **dit** : connu sous le nom de

compère : complice □ **vulgairement** : communément

louche : suspect(e) □ **ravageur(s), m.** : qqn. qui pratique le pillage pour se faire de l'argent

un **marinier** conduit une barge □ **de bas étage** : de condition inférieure □ **mois** : 30 jours

rôdant : allant çà et là □ **guettant** : observant

proie : animal dévoré par un autre □ un **braconnier** est un **chasseur** sans permis □ **écumeur(s)** : pirate □ **égout(s)** : évacuation des eaux □ **à l'affût des** : attendant □ **chevreuil(s)** : animal sauvage à cornes □ **noyé(s)** : mort dans l'eau □ **filant** : allant

soulageaient : (ici) vidaient □ **ramasseurs de loques** : collecteurs de vieux vêtements □ **vide(s)** ≠ plein □ **vont au courant** = filent

gueule : orifice □ **ivrogne(s), m.** : alcoolique

morceaux de bois : branches, planches, etc. □ **à la dérive** : sans direction □ **se la coulaient douce** : ne se fatiguaient pas ; **la** = l'existence □ **vers midi** : plus ou moins à 12 heures

flânant : se promenant sans se presser

auberge, f. : petit hôtel □ **côte à côte** : l'un à côté de l'autre

demeuraient : restaient

les revoyait rôdant dans l'ordure qui leur servait de bateau.

Là-bas, à Joinville, à Nogent, des canotiers désolés cherchaient leur embarcation disparue une nuit, détachée et partie, volée sans doute ; tandis qu'à vingt ou trente lieues de là, sur l'Oise, un bourgeois propriétaire se frottait les mains en admirant le canot acheté d'occasion, la veille, pour cinquante francs, à deux hommes qui le lui avaient vendu, comme ça, en passant, le lui ayant
10 offert spontanément sur la mine.

Maillochon reparut avec son fusil enveloppé dans une loque. C'était un homme de quarante ou cinquante ans, grand, maigre, avec cet œil vif qu'ont les gens tracassés par des inquiétudes légitimes, et les bêtes souvent traquées. Sa chemise ouverte laissait voir sa poitrine velue d'une toison grise. Mais il semblait n'avoir jamais eu d'autre barbe qu'une brosse de courtes moustaches et une pincée de poils raides sous la lèvre inférieure. Il était chauve des tempes.

20   Quand il enlevait la galette de crasse qui lui servait de casquette, la peau de sa tête semblait couverte d'un duvet vaporeux, d'une ombre de cheveux, comme le corps d'un poulet plumé qu'on va flamber.

Chicot, au contraire, rouge et bourgeonneux, gros, court et poilu, avait l'air d'un bifteck cru caché dans un bonnet de sapeur. Il tenait sans cesse fermé l'œil gauche comme s'il visait quelque chose ou quelqu'un, et quand on le plaisantait sur ce tic, en lui criant : « Ouvre l'œil, Labouise », il répondait d'un ton tranquille : « Aie pas
30 peur, ma sœur, je l'ouvre à l'occase. » Il avait d'ailleurs cette habitude d'appeler tout le monde « ma sœur », même son compagnon ravageur.

revoyait : re- = de nouveau □ **ordure,** f. : saleté □ **qui leur servait de :** qu'ils utilisaient comme

Joinville, Nogent sont sur la Marne □ **canotier(s) :** rameur sur un canot (l. 7) □ **désolé(s) :** pris de désolation

volé(e) : emporté par un malfaiteur □ **tandis qu' :** pendant qu'

lieue(s) : 4 kilomètres □ **Oise :** rivière □ **se frottait les mains :** jubilait □ **canot :** barque □ **acheté :** acquis □ **d'occasion :** usagé

la veille : le jour précédent

vendu : cédé pour de l'argent □ **comme ça :** sans explication

sur la mine : en raison de sa physionomie (sympathique)

maigre ≠ gros □ **vif :** alerte □ **tracassé(s) :** rendu très anxieux

inquiétude(s), f. : appréhension □ **bête(s)... traquée(s) :** animal poursuivi □ **chemise :** vêtement d'homme □ **poitrine :** haut du corps, devant □ **velu(e) :** très poilu □ **toison :** peau de mouton

barbe, f. : poils sur le visage des hommes □ **brosse :** poils taillés

raide(s) : droit □ **lèvre :** bord de la bouche

chauve : sans poils ou cheveux □ **tempe(s),** f. : côté du visage

enlevait : ôtait □ **galette :** grand biscuit □ **crasse,** f. : saleté

casquette : chapeau plat sans bord □ **peau :** surface du corps

duvet : ensemble de petits poils □ **ombre :** trace □ les **cheveux** couvrent la tête □ **poulet :** petit coq □ **plumé :** sans ses plumes □ **flamber :** passer à la flamme □ **bourgeonneux :** la peau marquée □ **cru** ≠ cuit □ **caché :** dissimulé

bonnet de sapeur : chapeau de militaire à poils □ **sans cesse :** continuellement □ **visait :** pointait une arme en direction de

plaisantait : moquait □ **tic :** habitude involontaire

(n)'aie pas peur : ne t'inquiète pas (pour moi)

sœur : proche parente □ **à l'occase** (argot pour occasion) : quand c'est nécessaire

même : sans excepter

Il reprit à son tour les avirons; et la barque de nouveau s'enfonça dans la brume immobile sur le fleuve, mais qui devenait blanche comme du lait dans le ciel éclairé de lueurs roses.

Labouise demanda :

« Qué plomb qu' t'as pris, Maillochon ? »

Maillochon répondit :

« Du tout p'tit, du neuf, c'est c' qui faut pour le lapin. »

10   Ils approchaient de l'autre berge si lentement, si doucement, qu'aucun bruit ne les révélait. Cette berge appartient à la forêt de Saint-Germain et limite les tirés aux lapins. Elle est couverte de terriers cachés sous les racines d'arbres ; et les bêtes, à l'aurore, gambadent là-dedans, vont, viennent, entrent et sortent.

Maillochon, à genoux à l'avant, guettait, le fusil caché sur le plancher de la barque. Soudain il le saisit, visa, et la détonation roula longtemps par la calme campagne.

Labouise, en deux coups de rame, toucha la berge, et
20 son compagnon, sautant à terre, ramassa un petit lapin gris, tout palpitant encore.

Puis le bateau s'enfonça de nouveau dans le brouillard pour regagner l'autre rive et se mettre à l'abri des gardes.

Les deux hommes semblaient maintenant se promener doucement sur l'eau. L'arme avait disparu sous la planche qui servait de cachette, et le lapin dans la chemise bouffante de Chicot.

Au bout d'un quart d'heure, Labouise demanda :
30   « Allons, ma sœur, encore un. »

Maillochon répondit :

« Ça me va, en route. »

s'enfonça : pénétra

avec du **lait** on fait le beurre, les fromages

éclairé ≠ obscurci

demanda : interrogea

qué = quel □ **plomb,** m. : grosseur de munition □ **qu' t'as** = est-ce que tu as ?

p'tit = petit □ **neuf :** 9 (calibre) □ **c' qui** = ce qu'il

approchaient : venaient près

appartient à : fait partie de □ **Saint-Germain :** sur la Seine, à l'ouest de Paris □ **tiré(s),** m. : zone de chasse au fusil □ **terrier(s) :** logement du lapin □ **racine(s),** f. : ramification sous la terre □ **gambadent :** font des bonds joyeusement

genou(x), m. : milieu de la jambe

plancher : fond plat

roula : se répercuta

rame, f. : objet qui sert à faire avancer la barque (= aviron)

sautant : débarquant vite

regagner : revenir vers

garde(s), m. : (ici) les gardes forestiers

semblaient : donnaient l'impression de □ **maintenant :** à présent

planche : partie du plancher □ **cachette,** f. : emplacement secret

bouffant(e) ≠ serré

au bout d' : après

allons : ne restons pas inactifs

en route : partons !

105

Et la barque repartit, descendant vivement le courant. Les brumes qui couvraient le fleuve commençaient à se lever. On apercevait, comme à travers un voile, les arbres des rives ; et le brouillard déchiré s'en allait au fil de l'eau, par petits nuages.

Quand ils approchèrent de l'île dont la pointe est devant Herblay, les deux hommes ralentirent leur marche et recommencèrent à guetter. Puis bientôt un second lapin fut tué.

10 Ils continuèrent ensuite à descendre jusqu'à mi-route de Conflans ; puis ils s'arrêtèrent, amarrèrent leur bateau contre un arbre, et, se couchant au fond, s'endormirent.

De temps en temps, Labouise se soulevait et, de son œil ouvert, parcourait l'horizon. Les dernières vapeurs du matin s'étaient évaporées et le grand soleil d'été montait, rayonnant, dans le ciel bleu.

Là-bas, de l'autre côté de la rivière, le coteau planté de vignes s'arrondissait en demi-cercle. Une seule maison
20 se dressait au faîte, dans un bouquet d'arbres. Tout était silencieux.

Mais sur le chemin de halage quelque chose remuait doucement, avançant à peine. C'était une femme traînant un âne. La bête, ankylosée, raide et rétive, allongeait une jambe de temps en temps, cédant aux efforts de sa compagne quand elle ne pouvait plus s'y refuser ; et elle allait ainsi le cou tendu, les oreilles couchées, si lentement qu'on ne pouvait prévoir quand elle serait hors de vue.

30 La femme tirait, courbée en deux, et se retournait parfois pour frapper l'âne avec une branche.

Labouise, l'ayant aperçue, prononça :

vivement : rapidement

se lever : se dissiper □ **voile** : étoffe transparente
déchiré : mis en pièces, désagrégé □ **au fil de** : le long de

île, f. : bande de terre entourée d'eau
Herblay : 12 km plus loin □ **ralentirent** : diminuèrent la vitesse
de □ **bientôt** : peu de temps après cela
tué : frappé de mort
jusqu'à : pas plus loin qu'à □ **mi-route** : la moitié du parcours =
3 km □ **s'arrêtèrent** : firent halte □ **amarrèrent** : attachèrent
se couchant : s'allongeant □ **s'endormirent** : se mirent à dormir

se soulevait : sortait son corps du fond
parcourait : regardait d'un bout à l'autre de
matin : première partie du jour
montait : allait plus haut □ **rayonnant** : irradiant sa lumière

vigne(s), f. : plante qui donne le vin □ **s'arrondissait** : prenait
une forme incurvée □ **se dressait** : était droite □ **faîte** : sommet
(du coteau)
chemin de halage : route le long de la rivière pour faire avancer
les bateaux avec des câbles □ **à peine** : presque pas
traînant : tirant de force □ **âne** : bête obstinée □ **ankylosé(e)**
≠ agile □ **allongeait** : portait en avant □ **cédant** : obéissant

le cou est sous la tête □ **tendu** : allongé □ **les oreilles** servent à
entendre □ **couché(es)** : abaissé □ **prévoir** : envisager, dire
d'avance □ **hors de vue** : au loin, devenue invisible
courbé(e) : plié □ **se retournait** : se tournait dans l'autre sens
frapper : battre

« Ohé ! Mailloche ? »

Mailloche répondit :

« Qué qu'y a ?

— Veux-tu rigoler ?

— Tout de même.

— Allons, secoue-toi, ma sœur, j'allons rire. »

Et Chicot prit les avirons.

Quand il eut traversé le fleuve et qu'il fut en face du groupe, il cria :

10   « Ohé, ma sœur ! »

La femme cessa de traîner sa bourrique et regarda. Labouise reprit :

« Vas-tu à la foire aux locomotives ? »

La femme ne répondit rien. Chicot continua :

« Ohé ! dis, il a été primé à la course, ton bourri. Oùsque tu l' conduis, de c'te vitesse ? »

La femme, enfin, répondit :

« Je vais chez Macquart, aux Champioux, pour l' faire abattre. Il ne vaut pus rien. »

20   Labouise répondit :

« J' te crois. Et combien qu'y t'en donnera Macquart ? »

La femme, qui s'essuyait le front du revers de la main, hésita :

« J' sais ti ? P't-être trois francs, p't-être quatre ? »

Chicot s'écria :

« J' t'en donne cent sous, et v'là la course faite, c'est pas peu. »

La femme, après une courte réflexion, prononça :

30   « C'est dit. »

Et les ravageurs abordèrent.

Labouise saisit la bride de l'animal. Maillochon,

qué qu'y a? = qu'est-ce qu'il y a?

rigoler: rire beaucoup

tout de même: (ici) certainement

secoue-toi: ne reste pas immobile □ **j'allons** = je vais (parler paysan)

eut traversé: (passé antérieur) fut passé sur l'autre rive

cessa: arrêta □ **bourrique** = âne

reprit (la parole)

foire: grand marché annuel

primé: médaillé □ **course** (de vitesse) □ **bourri**(cot): âne

oùsque? = où est-ce que? □ **conduis**: emmène □ **c'te** = cette

abattre: tuer (à l'abattoir, on tue les bêtes) □ **pus** = plus

qu'y = qu'il (**qu'** est superflu) □ **t'en donnera**: te donnera d'argent pour ton bourricot

s'essuyait: se séchait □ **front**: haut du visage □ **revers**: dos

j' sais ti (t-il)? = je ne sais pas □ **p't-être** = peut-être

cent sous = 5 francs □ **v'là** (voilà) **la course faite**: c'est inutile de faire le voyage □ **c'est pas** = ce n'est pas

c'est dit = affaire conclue

abordèrent: vinrent à terre

bride: pièce du harnais sur la tête d'un cheval, ou d'un âne

surpris, demanda :

« Qué que tu veux faire de c'te peau ? »

Chicot, cette fois, ouvrit son autre œil pour exprimer sa gaieté. Toute sa figure rouge grimaçait de joie ; il gloussa :

« Aie pas peur, ma sœur, j'ai mon truc. »

Il donna cent sous à la femme, qui s'assit sur le fossé pour voir ce qui allait arriver.

Alors Labouise, en belle humeur, alla chercher le fusil,
10 et le tendant à Maillochon :

« Chacun son coup, ma vieille ; nous allons chasser le gros gibier, ma sœur, pas si près que ça, nom d'un nom, tu vas l' tuer du premier. Faut faire durer l' plaisir un peu. »

Et il plaça son compagnon à quarante pas de la victime. L'âne, se sentant libre, essayait de brouter l'herbe haute de la berge, mais il était tellement exténué qu'il vacillait sur ses jambes comme s'il allait tomber.

Maillochon ajusta lentement et dit :
20   « Un coup de sel aux oreilles, attention, Chicot. »

Et il tira.

Le plomb menu cribla les longues oreilles de l'âne, qui se mit à les secouer vivement, les agitant tantôt l'une après l'autre, tantôt ensemble, pour se débarrasser de ce picotement.

Les deux hommes riaient à se tordre, courbés, tapant du pied. Mais la femme indignée s'élança, ne voulant pas qu'on martyrisât son bourri, offrant de rendre les cent sous, furieuse et geignante.
30   Labouise la menaça d'une tripotée et fit mine de relever ses manches. Il avait payé, n'est-ce pas ? Alors zut. Il allait lui en tirer un dans les jupes, pour lui

peau : (ici) le cuir obtenu avec la peau de la bête

figure : face
gloussa : se mit à rire avec de petits bruits de poule
j'ai mon truc = je sais ce que je fais (**truc :** procédé)
s'assit : se mit sur son postérieur □ **fossé :** bord de la route en creux
alla chercher... : alla prendre là où il était...
tendant : passant
chacun son coup (de fusil) : l'un après l'autre □ **ma vieille** = mon vieux (camarade) □ **gibier :** animaux qu'on chasse □ **nom d'un nom :** nom de Dieu □ **du premier** (coup) □ **faire durer :** prolonger
quarante pas : environ 15 mètres
libre : libéré □ **brouter :** manger
l'herbe est verte □ **tellement :** si fortement
tomber : défaillir
ajusta : visa
la mer contient du **sel** (Cl Na)
tira : fit partir un coup de fusil
menu : très petit □ **cribla :** constella de petites marques

se débarrasser de : faire disparaître
picotement : sensation d'être assailli par de petites pointes
à : au point de □ **se tordre :** faire des contorsions □ **tapant :** frappant □ **s'élança :** se précipita

geignant(e) : se lamentant
tripotée : coups redoublés □ **fit mine de :** fit semblant de
relever : remonter □ **manche(s), f. :** bras de chemise
zut : (fam.) ça suffit ! □ **jupe(s), f. :** vêtement de femme

111

montrer qu'on ne sentait rien.

Et elle s'en alla en les menaçant des gendarmes. Longtemps ils l'entendirent qui criait des injures plus violentes à mesure qu'elle s'éloignait.

Maillochon tendit son fusil à son camarade.

« À toi, Chicot. »

Labouise ajusta et fit feu. L'âne reçut la charge dans les cuisses, mais le plomb était si petit et tiré de si loin qu'il se crut sans doute piqué par des taons. Car il se
10 mit à s'émoucher de sa queue avec force, se battant les jambes et le dos.

Labouise s'assit pour rire à son aise, tandis que Maillochon rechargeait l'arme, si joyeux qu'il semblait éternuer dans le canon.

Il s'approcha de quelques pas et, visant le même endroit que son camarade, il tira de nouveau. La bête, cette fois, fit un soubresaut, essaya de ruer, tourna la tête. Un peu de sang coulait enfin. Elle avait été touchée profondément, et une souffrance aiguë se déclara, car
20 elle se mit à fuir sur la berge, d'un galop lent, boiteux et saccadé.

Les deux hommes s'élancèrent à sa poursuite, Maillochon à grandes enjambées, Labouise à pas pressés, courant d'un trot essoufflé de petit homme.

Mais l'âne, à bout de force, s'était arrêté, et il regardait, d'un œil éperdu, venir ses meurtriers. Puis, tout à coup, il tendit la tête et se mit à braire.

Labouise, haletant, avait pris le fusil. Cette fois, il s'approcha tout près, n'ayant pas envie de recommencer
30 la course.

Quand le baudet eut fini de pousser sa plainte lamentable, comme un appel au secours, un dernier cri

montrer : faire voir □ **sentait :** souffrait

gendarme(s), m. : soldat chargé de fonctions de police

injure(s) : insulte

à mesure qu'elle s'éloignait : en proportion de son éloignement

fit feu : tira une balle □ **reçut** < recevoir

cuisse(s), f. : haut de la jambe

se crut : pensa être □ **piqué :** attaqué □ **taon(s), m. :** gros insecte

s'émoucher : chasser les mouches □ **queue** ≠ tête □ **se battant :** se frappant □ **dos :** haut du corps

à son aise : sans restriction

rechargeait : remettait des balles dans

éternuer : réaction violente du nez irrité □ **canon :** partie longue du fusil

endroit : place

soubresaut : saut brusque □ **essaya :** tenta □ **ruer :** jeter en l'air avec force ses jambes arrière □ le **sang** est rouge □ **coulait :** se répandait □ **aigu(ë) :** très fort

fuir : partir en courant □ **boiteux :** non équilibré sur ses jambes

saccadé : de rythme irrégulier

enjambée(s) : mouvement des jambes □ **pressé(s) :** rapide

essoufflé : privé d'air

à bout de : n'ayant plus aucune □ **arrêté :** immobilisé

éperdu : hagard □ **meurtrier(s) :** assassin

tout à coup : soudainement □ **braire :** pousser son cri d'âne

haletant : respirant vite

course : poursuite

baudet : âne

au secours : à l'aide

d'impuissance, l'homme, qui avait son idée, cria :
« Mailloche, ohé ! ma sœur, amène-toi, je vas lui faire
prendre médecine. » Et, tandis que l'autre ouvrait de
force la bouche serrée de l'animal, Chicot lui introduisit
au fond du gosier le canon de son fusil, comme s'il eût
voulu lui faire boire un médicament ; puis il dit :

« Ohé ! ma sœur, attention, je verse la purge. »

Et il appuya sur la gâchette. L'âne recula de trois pas,
tomba sur le derrière, tenta de se relever et s'abattit à la
10 fin sur le flanc en fermant les yeux. Tout son vieux corps
pelé palpitait ; ses jambes s'agitaient comme s'il eût
voulu courir. Un flot de sang lui coulait entre les dents.
Bientôt il ne remua plus. Il était mort.

Les deux hommes ne riaient pas, ça avait été fini trop
vite, ils étaient volés.

Maillochon demanda :

« Eh bien, qué que j'en faisons à c't' heure ? »

Labouise répondit :

« Aie pas peur, ma sœur, embarquons-le, j'allons
20 rigoler à la nuit tombée. »

Et ils allèrent chercher la barque. Le cadavre de
l'animal fut couché dans le fond, couvert d'herbes
fraîches, et les deux rôdeurs, s'étendant dessus, se
rendormirent.

Vers midi, Labouise tira des coffres secrets de leur
bateau vermoulu et boueux un litre de vin, un pain, du
beurre et des oignons crus, et ils se mirent à manger.

Quand leur repas fut terminé, ils se couchèrent de
nouveau sur l'âne mort et recommencèrent à dormir. À
30 la nuit tombante, Labouise se réveilla et, secouant son
camarade, qui ronflait comme un orgue, il commanda :

impuissance : incapacité de réaction
amène-toi : viens ! ☐ **vas** = vais

serré(e) : bien fermé
gosier : gorge, organe de la voix
boire : prendre, avaler qqch. de liquide
verse : fais couler (dedans)
appuya sur : actionna ☐ **gâchette** : levier ☐ **recula** ≠ s'avança
derrière : postérieur ☐ **tenta** : s'efforça ☐ **s'abattit** : tomba

pelé : dont les poils étaient tombés
flot : torrent ☐ le dentiste soigne **les dents**
remua : s'agita
ne riaient pas : étaient sérieux et déçus
volé(s) : (ici) frustré

qué que j'en faisons? = qu'est-ce que j'en fais? ☐ **à c't' heure** :
maintenant (à cette...)

à la nuit tombée : pendant la nuit (l. 30 **tombante** : au début
de...) ☐ **cadavre** : corps mort
fond : partie la plus basse (de la barque)
fraîches : vertes, tout juste coupées ☐ **s'étendant dessus** :
s'allongeant sur (le cadavre)
tira de(s) : sortit... ☐ **coffre(s)** : emplacement fermé à clef
vermoulu : mangé par des vers, en ruine ☐ **boueux** : terreux, sale
du beurre se met sur du pain
repas : dîner ou déjeuner

se réveilla : finit de dormir
ronflait : avait une respiration sonore en dormant ☐ **orgue** : très
gros instrument de musique à tuyaux (orgue de cathédrale)

« Allons, ma sœur, en route. »

Et Maillochon se mit à ramer. Ils remontaient la Seine tout doucement, ayant du temps devant eux. Ils longeaient les berges couvertes de lis d'eau fleuris, parfumées par les aubépines penchant sur le courant leurs touffes blanches ; et la lourde barque, couleur de vase, glissait sur les grandes feuilles plates des nénuphars, dont elle courbait les fleurs pâles, rondes et fendues comme des grelots, qui se redressaient ensuite.

10   Lorsqu'ils furent au mur de l'Éperon, qui sépare la forêt de Saint-Germain du parc de Maisons-Laffitte, Labouise arrêta son camarade et lui exposa son projet, qui agita Maillochon d'un rire silencieux et prolongé.

Ils jetèrent à l'eau les herbes étendues sur le cadavre, prirent la bête par les pieds, la débarquèrent et s'en furent la cacher dans un fourré.

Puis ils remontèrent dans leur barque et gagnèrent Maisons-Laffitte.

La nuit était tout à fait noire quand ils entrèrent chez
20   le père Jules, traiteur et marchand de vins. Dès qu'il les aperçut, le commerçant s'approcha, leur serra les mains et prit place à leur table, puis on causa de choses et d'autres.

Vers onze heures, le dernier consommateur étant parti, le père Jules, clignant de l'œil, dit à Labouise :

« Hein, y en a-t-il ? »

Labouise fit un mouvement de tête et prononça :

« Y en a et y en a pas, c'est possible. »

Le restaurateur insistait :

30   « Des gris, rien que des gris, peut-être ? »

Alors, Chicot, plongeant la main dans sa chemise de laine, tira les oreilles d'un lapin et déclara :

remontaient : allaient contre le courant (ici = revenaient)

ayant du temps devant eux : n'ayant rien à faire

longeaient : suivaient de près □ **lis d'eau :** nénuphar (l. 7) □
fleuri(s) : en fleurs □ **aubépine(s),** f. : plante □ **penchant :**
inclinant □ **touffe(s) :** bouquet □ **lourd(e)** ≠ léger

vase, f. : boue, terre pleine d'eau (≠ vase, m.) □ **les feuilles** = le
feuillage □ **courbait :** penchait, incurvait

fendu(es) : crevassé □ **grelot(s) :** petite cloche □ **redressaient :**
relevaient □ **mur :** construction en maçonnerie (mur de Berlin)

Maisons-Laffitte est entre Herblay et Saint-Germain

s'en furent : s'an allèrent

cacher : dissimuler □ **fourré :** masse de jeunes arbres

remontèrent : re- = encore une fois □ **gagnèrent :** allèrent
jusqu'à

traiteur : restaurateur

le commerçant fait du commerce □ **leur serra les mains :** les
accueillit □ **causa de choses et d'autres :** parla de tout, sans y
attacher de l'importance

consommateur : buveur

clignant de l'œil : faisant un signe de connivence avec l'œil

en = (ici) de cette marchandise (du gibier)

y = il y... □ **et y** = et il n'y...

des (lapins) **gris** □ **rien que :** seulement

laine : textile provenant du mouton

117

« Ça vaut trois francs la paire. »

Alors, une longue discussion commença sur le prix. On convint de deux francs soixante-cinq. Et les deux lapins furent livrés.

Comme les maraudeurs se levaient, le père Jules qui les guettait, prononça :

« Vous avez autre chose, mais vous ne voulez pas le dire. »

Labouise riposta :

10 « C'est possible, mais pas pour toi, t'es trop chien. »

L'homme, allumé, le pressait.

« Hein, du gros, allons, dis quoi, on pourra s'entendre. »

Labouise, qui semblait perplexe, fit mine de consulter Maillochon de l'œil, puis il répondit d'une voix lente :

« V'là l'affaire. J'étions embusqué à l'Éperon quand quéque chose nous passe dans le premier buisson à gauche, au bout du mur.

« Mailloche y lâche un coup, ça tombe. Et je filons, vu
20 les gardes. Je peux pas te dire ce que c'est, vu que je l'ignore. Pour gros, c'est gros. Mais quoi ? si je te le disais, je te tromperais, et tu sais, ma sœur, entre nous, cœur sur la main. »

L'homme, palpitant, demanda :

« C'est-i pas un chevreuil ? »

Labouise reprit :

« Ça s' peut bien, ça ou autre chose ? Un chevreuil ?... Oui... C'est p't-être pus gros ? Comme qui dirait une biche. Oh ! j' te dis pas qu' c'est une biche, vu que
30 j' l'ignore, mais ça s' peut ! »

Le gargotier insistait :

« P't-être un cerf ? »

118

ça vaut (< valoir) : le prix est de

convint de : se mit d'accord pour □ **soixante-cinq** centimes
livré(s) : donné, remis
comme : au moment où

riposta : répliqua
t'es = tu es □ (être) **chien :** être avare
allumé : enflammé de désir
du gros (gibier) □ **quoi** = de quoi il s'agit □ **s'entendre :** trouver
un accord

v'là l'affaire : voilà comment cela s'est passé □ **embusqué :** caché
nous passe : passe devant nous □ **buisson :** touffe de grosses
plantes
y = lui (fam.) □ **lâche :** envoie □ **je filons :** pars vite □ **vu :** à
cause de(s) □ **je** (ne) **peux pas** □ **vu que :** parce que
l'ignore : ne le sais pas
te tromperais : abuserais de toi en ne te disant pas la vérité
cœur sur la main : franchise et générosité, comme entre gens qui
s'aiment
c'est-i pas = ce n'est-il pas ? □ **chevreuil :** animal sauvage à
cornes, plus petit que le cerf

comme qui dirait : on pourrait dire
biche : femelle du cerf (le plus gros des animaux à cornes, l. 32)
ça s(e) peut : c'est possible
gargotier : qqn. qui tient une gargote (restaurant à bas prix)

Labouise étendit la main :

« Ça non ! Pour un cerf, c'est pas un cerf, j' te trompe pas, c'est pas un cerf. J' l'aurais vu, attendu les bois. Non, pour un cerf, c'est pas un cerf.

— Pourquoi que vous l'avez pas pris ? demanda l'homme.

— Pourquoi, ma sœur, parce que je vendons sur place, désormais. J'ai preneur. Tu comprends, on va flâner par là, on trouve la chose, on s'en empare. Pas de risques pour Bibi. Voilà. »

Le fricotier, soupçonneux, prononça :

« S'il n'y était pu, maintenant ? »

Mais Labouise leva de nouveau la main :

« Pour y être, il y est, je te l' promets, je te l' jure. Dans le premier buisson à gauche. Pour ce que c'est, je l'ignore. J' sais que c'est pas un cerf, ça, non, j'en suis sûr. Pour le reste, à toi d'y aller voir. C'est vingt francs sur place, ça te va-t-il ? »

L'homme hésitait encore :

« Tu ne pourrais pas me l'apporter ? »

Maillochon prit la parole :

« Alors pus de jeu. Si c'est un chevreuil, cinquante francs ; si c'est une biche, soixante-dix ; voilà nos prix. »

Le gargotier se décida :

« Ça va pour vingt francs. C'est dit. » Et on se tapa dans la main.

Puis il sortit de son comptoir quatre grosses pièces de cent sous que les deux amis empochèrent.

Labouise se leva, vida son verre et sortit ; au moment d'entrer dans l'ombre, il se retourna pour spécifier :

« C'est pas un cerf, pour sûr. Mais, quoi ?... Pour y

120

étendit : allongea, leva (comme pour prêter serment, l. 15)

attendu : en raison de(s) □ **bois** : les cornes immenses du cerf

sur place : sans le transport
désormais : maintenant □ **preneur** : qqn. qui en veut □ **flâner** :
se promener sans hâte □ **s'en empare** : la saisit
Bibi = moi-même (argot parisien)
fricotier < fricot, ragoût grossier □ **soupçonneux** : ayant de la
suspicion

l' promets : en fais la promesse □ **l' jure** : en fais le serment

pour le reste : en ce qui concerne la suite
ça te va-t-il ? : est-ce bon pour toi ?

l'apporter : le livrer

pus de jeu : je ne joue plus (avec ces règles)

se tapa : se frappa dans la main (en signe d'accord)

pièce(s) : monnaie métallique
empochèrent : mirent dans une poche de leurs vêtements
vida : termina

être, il y est. Je te rendrai l'argent si tu ne trouves rien. »

Et il s'enfonça dans la nuit.

Maillochon, qui le suivait, lui tapait dans le dos de grands coups de poing pour témoigner son allégresse.

rendrai : redonnerai □ **trouves** : découvres

s'enfonça : pénétra

poing, m. : main fermée □ **témoigner** : montrer □ **allégresse** : joie

Grammaire au fil des nouvelles

Remplissez les blancs avec le mot ou la forme grammaticale qui se trouve dans le texte (le premier chiffre renvoie à la page, le second à la ligne):

Les berges restaient indistinctes, disparues sous ... bizarres vapeurs, festonnées comme des montagnes (article partitif, 98 - 3).

Des paroles passaient comme ces oiseaux sauvages ... ont dormi dans les joncs, et ... on aperçoit une seconde traversant la brume à tire-d'aile (pronoms relatifs, 98 - 21).

... (des deux hommes) qui ramait se leva (pron. démonst., 100 - 2).

Ça me va. ...-moi, je te rejoins (attendre, 100 - 9).

Il s'éloigna pour mettre ... l'abri leur pêche (préposition, 100 - 10).

Il était ... des tempes (= sans cheveux, 102 - 18).

Chicot ... d'un bifteck cru (= ressemblait à, 102 - 25).

Cette berge est couverte de ... cachés sous les racines d'arbres (= logements de lapins, 104 - 13).

La bête allait si lentement qu'on ne pouvait prévoir quand elle ... hors de vue (être, 106 - 28).

... pas peur, ma sœur, j'ai mon truc (avoir, 110 - 6).

Mais la femme indignée s'élança, ne voulant pas qu'on ... son bourri (martyriser, 110 - 28).

La bête, cette fois, ... un soubresaut, ... de ruer, ... la tête (faire, essayer, tourner, 112 - 16).

Tandis que l'autre ... de force la bouche serrée de l'animal, Chicot ... introduisit au fond du gosier le canon de son fusil (ouvrir; pron. pers. = à l'animal, 114 - 3).

Tu comprends, on va flâner par là, on trouve la chose, on s'... empare (= d'elle, 120 - 8).

Je te ... l'argent si tu ne trouves rien (rendre, 122 - 1).

COCO

D'abord paru dans *Le Gaulois* au début de 1884, *Coco* est intégré l'année suivante au recueil *Contes du jour et de la nuit*.

Maupassant reprend ici une fois encore le sujet, qui lui tient tant à cœur, de la souffrance des bêtes, mais il parvient à renouveler sa matière. D'une part le martyre de la victime n'aura pour témoin que l'herbe du pré, et d'autre part le bourreau est un garçon immature, motivé par l'envie. Dans son appel à la pitié, l'auteur a peut-être également une intention pédagogique.

Comme dans le conte précédent, on est saisi par le fort contraste entre un tableau idyllique, qui paraît un bon exemple de société harmonieuse, voire généreuse, et la présence en son sein d'un élément qui contient le germe inconnu du mal.

Le jeune Zidore est lui-même «étonné» de la fragilité de la vie.

Dans tout le pays environnant on appelait la ferme des Lucas « la Métairie ». On n'aurait su dire pourquoi. Les paysans, sans doute, attachaient à ce mot « métairie » une idée de richesse et de grandeur, car cette ferme était assurément la plus vaste, la plus opulente et la plus ordonnée de la contrée.

La cour, immense, entourée de cinq rangs d'arbres magnifiques pour abriter contre le vent violent de la plaine les pommiers trapus et délicats, enfermait de longs
10 bâtiments couverts en tuiles pour conserver les fourrages et les grains, de belles étables bâties en silex, des écuries pour trente chevaux, et une maison d'habitation en brique rouge, qui ressemblait à un petit château.

Les fumiers étaient bien tenus ; les chiens de garde habitaient en des niches, un peuple de volailles circulait dans l'herbe haute.

Chaque midi, quinze personnes, maîtres, valets et servantes, prenaient place autour de la longue table de cuisine où fumait la soupe dans un grand vase de faïence
20 à fleurs bleues.

Les bêtes, chevaux, vaches, porcs et moutons, étaient grasses, soignées et propres ; et maître Lucas, un grand homme qui prenait du ventre, faisait sa ronde trois fois par jour, veillant sur tout et pensant à tout.

On conservait, par charité, dans le fond de l'écurie, un très vieux cheval blanc que la maîtresse voulait nourrir jusqu'à sa mort naturelle, parce qu'elle l'avait élevé, gardé toujours, et qu'il lui rappelait des souvenirs.

Un goujat de quinze ans, nommé Isidore Duval, et
30 appelé plus simplement Zidore, prenait soin de cet invalide, lui donnait, pendant l'hiver, sa mesure d'avoine et son fourrage, et devait aller, quatre fois par jour, en

appelait : nommait □ **ferme** : exploitation agricole

métairie : ferme où l'exploitant n'est pas propriétaire □ **su** : pu

paysan(s), m. : homme de la campagne □ **sans doute** : sûrement (en fait, Lucas est bien le propriétaire et maître ; l. 22)

ordonné(e) : en bon ordre, méthodique □ **contrée** : région

cour : espace couvert □ **entouré(e)** : ayant tout autour

abriter : protéger □ **vent** : mouvement de l'air

pommier(s) : arbre fruitier □ **trapu(s)** : court et solide

bâtiment(s) : édifice □ **tuile(s)**, f. : plaque de terre cuite □
fourrage(s), m. : stock d'herbes □ **étables... écuries** : logements
pour les animaux □ **silex**, m. : roche dure □ **cheval**, m. : animal
monté ou utilisé par l'homme

fumier(s) : masse de matières naturelles fertilisantes □ **bien
tenu(s)** : propre □ **niche(s)**, f. : petite hutte □ **volaille(s)**, f. : les
oiseaux de la cour de ferme □ **l'herbe** est verte

midi : 12 heures □ **valet(s)**, m. : homme qui travaille à la ferme

prenaient place : s'asseyaient □ **autour** : sur chaque côté

fumait : dégageait de la vapeur □ **vase de faïence** : récipient en
poterie □ **fleur(s)** : petite plante colorée

vache(s), f. : gros animal qui donne du lait

gras(se) : gros □ **soigné(es)** : gardé avec attention □ **propre(s)** ≠
sale □ **prenait du ventre** : devenait corpulent

veillant : étant vigilant □ **pensant** : étant attentif

vieux ≠ jeune □ **la maîtresse** : la fermière □ **nourrir** : alimenter

jusqu'à : en attendant □ **mort** ≠ vie □ **l'avait élevé** : s'était
occupé de lui □ **rappelait** : remémorait

goujat : valet de ferme

prenait soin : s'occupait

invalide : infirme □ **hiver** : la saison froide □ **avoine**, f. : céréale

devait : avait comme devoir (tâche) d'...

été, le déplacer dans la côte où on l'attachait, afin qu'il eût en abondance de l'herbe fraîche.

L'animal, presque perclus, levait avec peine ses jambes lourdes, grosses des genoux et enflées au-dessus des sabots. Ses poils, qu'on n'étrillait plus jamais, avaient l'air de cheveux blancs, et des cils très longs donnaient à ses yeux un air triste.

Quand Zidore le menait à l'herbe, il lui fallait tirer sur la corde, tant la bête allait lentement ; et le gars, courbé,
10 haletant, jurait contre elle, s'exaspérant d'avoir à soigner cette vieille rosse.

Les gens de la ferme, voyant cette colère du goujat contre Coco, s'en amusaient, parlaient sans cesse du cheval à Zidore, pour exaspérer le gamin. Ses camarades le plaisantaient. On l'appelait dans le village Coco-Zidore.

Le gars rageait, sentant naître en lui le désir de se venger du cheval. C'était un maigre enfant haut sur jambes, très sale, coiffé de cheveux roux, épais, durs et
20 hérissés. Il semblait stupide, parlait en bégayant, avec une peine infinie, comme si les idées n'eussent pu se former dans son âme épaisse de brute.

Depuis longtemps déjà, il s'étonnait qu'on gardât Coco, s'indignant de voir perdre du bien pour cette bête inutile. Du moment qu'elle ne travaillait plus, il lui semblait injuste de la nourrir, il lui semblait révoltant de gaspiller de l'avoine, de l'avoine qui coûtait si cher, pour ce bidet paralysé. Et souvent même, malgré les ordres de maître Lucas, il économisait sur la nourriture du cheval,
30 ne lui versant qu'une demi-mesure, ménageant sa litière et son foin. Et une haine grandissait en son esprit confus d'enfant, une haine de paysan rapace, de paysan

128

été, m. : la saison chaude □ **déplacer** : changer de place □ **côte** : terrain incliné □ **fraîche** ≠ sèche

presque : pas tout à fait □ **perclus** : paralysé

lourd(es) ≠ léger □ **genou(x)** : milieu de la jambe □ **enflé(es)** : grossi □ **sabot(s)**, m. : bout du pied □ **étrillait** : peignait

air : aspect □ **cheveu(x)** : poil long sur la tête □ **cil(s)** : poil au bord de l'œil

menait : conduisait □ **tirer sur** : tendre avec force

tant : à tel point □ **lentement** ≠ vite □ **gars** : garçon □ **courbé** : plié □ **haletant** : respirant mal □ **jurant** : blasphémant

rosse : cheval apathique

gens : personnes □ **colère** : irritation, rage

sans cesse : continuellement

à = appartenant à □ **gamin** : jeune garçon

le plaisantaient : se moquaient de lui

sentant : voyant □ **naître** : débuter

maigre ≠ gros

sale : malpropre □ **coiffé** : ayant la tête couverte □ **roux** : rouge

hérissé(s) : dressé tout droit □ **bégayant** : répétant ou sautant les syllabes □ **peine** : difficulté □ **n'eussent pu** : n'auraient pas pu

âme : esprit □ **épais(se)** : sans finesse

depuis... il s'étonnait : sa surprise avait commencé il y a longtemps □ **gardât** : conservât □ **perdre** : abandonner □ **du bien** : des possessions □ **inutile** : bonne à rien □ **travaillait** : avait une activité

gaspiller : consommer sans raison □ **coûtait si cher** : valait tant d'argent □ **bidet** : cheval banal □ **souvent** : fréquemment □ **malgré** : en dépit de □ **nourriture** : les aliments

ne... que : seulement □ **versant** : donnant □ **ménageant** : limitant □ **litière** : lit d'une bête □ **foin** : herbes sèches □ **haine** ≠ amour □ **grandissait** : augmentait

sournois, féroce, brutal et lâche.

Lorsque revint l'été, il lui fallut aller *remuer* la bête dans sa côte. C'était loin. Le goujat, plus furieux chaque matin, partait de son pas lourd à travers les blés. Les hommes qui travaillaient dans les terres lui criaient, par plaisanterie :

« Hé Zidore, tu f'ras mes compliments à Coco. »

Il ne répondait point ; mais il cassait, en passant, une
10 baguette dans une haie et, dès qu'il avait déplacé l'attache du vieux cheval, il le laissait se remettre à brouter ; puis, approchant traîtreusement, il lui cinglait les jarrets. L'animal essayait de fuir, de ruer, d'échapper aux coups, et il tournait au bout de sa corde comme s'il eût été enfermé dans une piste. Et le gars le frappait avec rage, courant derrière, acharné, les dents serrées par la colère.

Puis il s'en allait lentement, sans se retourner, tandis que le cheval le regardait partir de son œil de vieux, les
20 côtes saillantes, essoufflé d'avoir trotté. Et il ne rebaissait vers l'herbe sa tête osseuse et blanche qu'après avoir vu disparaître au loin la blouse bleue du jeune paysan...

Comme les nuits étaient chaudes, on laissait maintenant Coco coucher dehors, là-bas, au bord de la ravine, derrière le bois. Zidore seul allait le voir.

L'enfant s'amusait encore à lui jeter des pierres. Il s'asseyait à dix pas de lui, sur un talus, et il restait là une demi-heure, lançant de temps en temps un caillou
30 tranchant au bidet, qui demeurait debout, enchaîné devant son ennemi, et le regardant sans cesse, sans oser paître avant qu'il fût reparti.

sournois: hypocrite □ **lâche** ≠ courageux

remuer: (ici) déplacer

son pas: sa manière de marcher □ **à travers**: en passant par □
les (champs de) blés; blé, m.: céréale du pain
plaisanterie: parole dite pour faire rire
f'ras = feras □ **compliments, m.**: salutations
répondait: répliquait □ **cassait**: détachait d'un coup sec
baguette: bâton flexible □ **haie**: barrière de plantes □ **dès**:
aussitôt □ **se remettre**: recommencer
brouter: manger de l'herbe □ **cinglait**: frappait
jarret(s), m.: milieu de la jambe □ **fuir**: partir □ **ruer**: lancer
en l'air ses jambes arrière □ **échapper aux**: éviter les □ **au bout**:
à l'extrémité □ **piste**: scène d'un cirque
derrière: après lui □ **acharné**: tenace □ **serré(es)**: joint

se retourner: regarder derrière lui □ **tandis que**: pendant que

côte(s): os du thorax □ **saillant(es)**: proéminent □ **essoufflé**:
manquant d'air □ **rebaissait**: descendait □ **osseuse** < os
au loin: à distance □ **blouse**: vêtement de travail

comme: parce que □ **nuit(s)** ≠ jour □ **maintenant**: à présent
coucher: passer la nuit □ **dehors**: à l'extérieur □ **au bord de**:
près de □ **bois**: petite forêt
jeter: envoyer □ **pierre(s), f.**: petit fragment de roche
s'asseyait ≠ se levait □ **dix pas**: 7 à 8 mètres □ **talus**: levée de
terrain □ **demi-heure, f.**: 30 minutes □ **caillou**: pierre
tranchant: coupant □ **demeurait**: restait
devant: en présence de □ **oser**: avoir l'audace de
paître: manger de l'herbe

Mais toujours cette pensée restait plantée dans l'esprit du goujat : «Pourquoi nourrir ce cheval qui ne faisait plus rien?» Il lui semblait que cette misérable rosse volait le manger des autres, volait l'avoir des hommes, le bien du bon Dieu, le volait même aussi, lui, Zidore, qui travaillait.

Alors, peu à peu, chaque jour, le gars diminua la bande de pâturage qu'il lui donnait en avançant le piquet de bois où était fixée la corde.

10 La bête jeûnait, maigrissait, dépérissait. Trop faible pour casser son attache, elle tendait la tête vers la grande herbe verte et luisante, si proche, et dont l'odeur lui venait sans qu'elle y pût toucher.

Mais, un matin, Zidore eut une idée : c'était de ne plus remuer Coco. Il en avait assez d'aller si loin pour cette carcasse.

Il vint cependant, pour savourer sa vengeance. La bête inquiète le regardait. Il ne la battit pas ce jour-là. Il tournait autour, les mains dans les poches. Même il fit 20 mine de la changer de place, mais il renfonça le piquet juste dans le même trou, et il s'en alla, enchanté de son invention.

Le cheval, le voyant partir, hennit pour le rappeler ; mais le goujat se mit à courir, le laissant seul, tout seul, dans son vallon, bien attaché, et sans un brin d'herbe à portée de la mâchoire.

Affamé, il essaya d'atteindre la grasse verdure qu'il touchait du bout de ses naseaux. Il se mit sur les genoux, tendant le cou, allongeant ses grandes lèvres 30 baveuses. Ce fut en vain. Tout le jour, elle s'épuisa, la vieille bête, en efforts inutiles, en efforts terribles. La faim la dévorait, rendue plus affreuse par la vue de toute

132

toujours : continuellement □ **esprit,** m. : imagination

volait : s'appropriait sans droit □ **manger,** m. : nourriture □ **avoir,** m. : possession □ **aussi** : également

peu à peu : progressivement
pâturage : lieu où paît un animal
piquet : bâton planté en terre
jeûnait ≠ mangeait □ **maigrissait** < maigre □ **dépérissait** : perdait sa vitalité □ **tendait** : allongeait
luisant(e) : brillant □ **proche** : près
pût : subjonctif imparfait de pouvoir

en avait assez : ne pouvait plus supporter, était exaspéré

il vint cependant = mais il vint
inquiète : anxieuse □ **battit** : passé simple de battre
poche(s), f. : partie intérieure du pantalon □ **fit mine de** : fit comme s'il allait □ **renfonça** : replanta
un terrain de golf a 9 ou 18 **trous** □ **s'en alla** : partit

hennit : cria (spécifique du cheval) □ **rappeler** : faire revenir

vallon : petite vallée □ **brin** : morceau
à portée de : pouvant être touché par □ **mâchoire** : os qui sert de support aux dents □ **affamé** : ayant très faim □ **atteindre** : parvenir à toucher □ **naseau(x),** m. : nez d'un animal
les **lèvres** entourent la bouche
baveuse(s) : qui laisse couler la bave (= salive) □ **s'épuisa** : s'exténua
affreuse : horrible □ **vue** : faculté de voir

la verte nourriture qui s'étendait à l'horizon.

Le goujat ne revint point ce jour-là. Il vagabonda par les bois pour chercher des nids.

Il reparut le lendemain. Coco, exténué, s'était couché. Il se leva en apercevant l'enfant, attendant, enfin, d'être changé de place.

Mais le petit paysan ne toucha même pas au maillet jeté dans l'herbe. Il s'approcha, regarda l'animal, lui lança dans le nez une motte de terre qui s'écrasa sur le
10 poil blanc, et il repartit en sifflant.

Le cheval resta debout tant qu'il put l'apercevoir encore; puis, sentant bien que ses tentatives pour atteindre l'herbe voisine seraient inutiles, il s'étendit de nouveau sur le flanc et ferma les yeux.

Le lendemain, Zidore ne vint pas.

Quand il approcha, le jour suivant, de Coco toujours étendu, il s'aperçut qu'il était mort.

Alors il demeura debout, le regardant, content de son œuvre, étonné en même temps que ce fût déjà fini. Il le
20 toucha du pied, leva une de ses jambes, puis la laissa retomber, s'assit dessus, et resta là, les yeux fixés dans l'herbe et sans penser à rien.

Il revint à la ferme, mais il ne dit pas l'accident, car il voulait vagabonder encore aux heures où, d'ordinaire, il allait changer de place le cheval.

Il alla le voir le lendemain. Des corbeaux s'envolèrent à son approche. Des mouches innombrables se prome-naient sur le cadavre et bourdonnaient à l'entour.

En rentrant il annonça la chose. La bête était si vieille
30 que personne ne s'étonna. Le maître dit à deux valets:

« Prenez vos pelles, vous f'rez un trou là oùsqu'il est. »

s'étendait : occupait l'espace

point : pas

chercher : s'efforcer de découvrir □ **nid(s), m. :** habitation des petits oiseaux □ **lendemain :** jour suivant □ **couché :** allongé

se leva : se mit debout □ **apercevant :** voyant □ **attendant :** espérant

maillet : objet en bois pour enfoncer le piquet

jeté : abandonné

motte : morceau □ **s'écrasa :** s'aplatit, se désintégra

sifflant : chantant comme un oiseau

tant : aussi longtemps

sentant : comprenant

voisin(e) : très proche □ **s'étendit :** s'allongea

œuvre : travail, réalisation

retomber : tomber de son propre poids □ **dessus :** sur (la jambe)

d'ordinaire : d'habitude

corbeau(x), m. : gros oiseau tout noir □ **s'envolèrent :** partirent en l'air □ **mouche, f. :** insecte volant

cadavre : corps mort □ **bourdonnaient :** faisaient du bruit □ **à l'entour :** à proximité □ **chose :** événement

pelle(s), f. : outil pour creuser □ **f'rez** = ferez □ **oùsqu'il est** = où il se trouve

Et les hommes enfouirent le cheval juste à la place où il était mort de faim.

Et l'herbe poussa drue, verdoyante, vigoureuse, nourrie par le pauvre corps.

enfouirent : placèrent en profondeur

poussa : grandit ☐ **dru(e) :** abondant ☐ **verdoyant(e) :** vert

Grammaire au fil des nouvelles

Remplissez les blancs avec le mot ou la forme grammaticale qui se trouve dans le texte (le premier chiffre renvoie à la page, le second à la ligne):

La cour enfermait une maison d'habitation ... brique rouge, ... ressemblait à un petit château (préposition; pron. rel., 126 - 12).

La longue table de cuisine ... fumait la soupe dans un grand vase de faïence ... fleurs bleues (pron. rel. de lieu, préposition, 126 - 18).

Les bêtes, chevaux, vaches, porcs et moutons, étaient ..., ... et ... (gras, soigné, propre, 126 - 21).

Zidore ... aller, quatre fois par jour, le déplacer dans la côte où on l'attachait, afin que le cheval ... de l'herbe fraîche (devoir, avoir, 126 - 32).

Il s'étonnait qu'on ... Coco (garder, 128 - 23).

Dès qu'il ... l'attache du vieux cheval, il le laissait se remettre à brouter (déplacer, 130 - 10).

Il ne rebaissait vers l'herbe sa tête qu'après ... disparaître au loin le jeune paysan (voir, 130 - 20).

Le bidet demeurait debout, enchaîné devant son ennemi, sans oser paître avant qu'il ... (repartir, 130 - 30).

Elle tendait la tête vers la grande herbe verte, ... l'odeur lui venait sans qu'elle y ... toucher (pron. rel.; pouvoir, 132 - 11).

Le cheval, le voyant partir, ... pour le rappeler (= fit le cri spécifique du cheval, 132 - 23).

Le goujat se mit à courir, le laissant seul, sans un brin d'herbe à portée de la ... (= os qui sert de support aux dents, 132 - 24).

Il essaya d'atteindre la grasse verdure qu'il ... du bout de ses naseaux (toucher, 132 - 27).

Zidore demeura debout, le regardant, étonné que ce ... déjà fini (être, 134 - 18).

Et les hommes enfouirent le cheval juste à la place où il ... de faim (mourir, 136 - 1).

LE NOYÉ

Ce conte date de 1888 et fait partie du dernier recueil de Maupassant, *L'Inutile Beauté* (1890). Il entre dans la catégorie des histoires normandes, comme *Pierrot, Le Loup, Coco* et bien d'autres; mais la Normandie, c'est aussi la mer et les durs marins.

Maupassant s'en souvient et semble profiter de la couleur locale pour pousser au paroxysme l'âpreté de ses personnages, leur misère morale et physique, l'impuissance des victimes.

En vain on chercherait ici une ligne de réprobation. Aux yeux de Maupassant, le récit, parlant de lui-même, n'appelle pas de commentaires d'ordre moral et, sur le plan métaphysique, l'hypothèse d'une métempsycose est clairement démontrée. Tout juste peut-on souligner la coupure de la narration en deux parties complémentaires et la durée très longue de l'action, inhabituelle dans le genre de la nouvelle. Dix et quatre ans de crises, qui vont se résoudre en une nuit!

Comment? À cause d'un oiseau de mauvais augure.

I

Tout le monde, dans Fécamp, connaissait l'histoire de la mère Patin. Certes, elle n'avait pas été heureuse avec son homme, la mère Patin; car son homme la battait de son vivant, comme on bat le blé dans les granges.

Il était patron d'une barque de pêche, et l'avait épousée, jadis, parce qu'elle était gentille, quoiqu'elle fût
10 pauvre.

Patin, bon matelot, mais brutal, fréquentait le cabaret du père Auban, où il buvait aux jours ordinaires, quatre ou cinq petits verres de fil et, aux jours de chance à la mer, huit ou dix, et même plus, suivant sa gaieté de cœur, disait-il.

Le fil était servi aux clients par la fille au père Auban, une brune plaisante à voir et qui attirait le monde à la maison par sa bonne mine seulement, car on n'avait jamais jasé sur elle.

20 Patin, quand il entrait au cabaret, était content de la regarder et lui tenait des propos de politesse, des propos tranquilles d'honnête garçon. Quand il avait bu le premier verre de fil, il la trouvait déjà plus gentille; au second, il clignait de l'œil; au troisième, il disait : « Si vous vouliez, mam'zelle Désirée... » sans jamais finir sa phrase; au quatrième, il essayait de la retenir par sa jupe pour l'embrasser; et, quand il allait jusqu'à dix, c'était le père Auban qui servait les autres.

Le vieux chand de vin, qui connaissait tous les trucs,
30 faisait circuler Désirée entre les tables, pour activer la consommation; et Désirée, qui n'était pas pour rien la fille au père Auban, promenait sa jupe autour des

Fécamp est un port à mi-route entre Le Havre et Dieppe
la mère Patin: madame Patin (familier)
homme: mari □ **battait**: frappait □ **de son vivant**: quand il
était en vie □ **blé**: céréale du pain □ **grange(s)**, f.: édifice
agricole de stockage □ **patron**: propriétaire □ la **pêche** est
l'activité de prendre du poisson □ **jadis**: autrefois □ **gentil(le)**:
aimable
matelot: marin professionnel □ **cabaret**: taverne
buvait < boire, prendre un liquide (une boisson)
verre(s), m.: récipient □ **fil**: alcool régional □ **chance**: bonne
fortune □ **suivant**: selon
cœur, m.: partie du corps, siège des sentiments (amour,
courage...) □ **client(s)**, m.: qqn. qui fréquente une boutique
plaisant(e): agréable □ **monde**: des personnes en nombre
mine: physionomie
jasé sur: parlé à son sujet (pour douter de son honneur)

lui tenait des propos: avait une conversation avec elle
honnête: honorable
trouvait: jugeait, considérait comme
clignait de l'œil: faisait un signe de connivence avec l'œil
mam'zelle = mademoiselle
la retenir: l'empêcher de s'en aller □ **jupe**: vêtement de femme
embrasser: donner un baiser □ **allait jusqu'à**: atteignait
les autres (verres)
(mar)chand de vin: cabaretier □ **truc(s)**, m.: procédé

consommation: les commandes de boissons □ **pour rien**: sans
raison

buveurs, et plaisantait avec eux, la bouche rieuse et l'œil
malin.

À force de boire des verres de fil, Patin s'habitua si
bien à la figure de Désirée, qu'il y pensait même à la
mer, quand il jetait ses filets à l'eau, au grand large, par
les nuits de vent ou les nuits de calme, par les nuits de
lune ou les nuits de ténèbres. Il y pensait en tenant sa
barre, à l'arrière de son bateau, tandis que ses quatre
compagnons sommeillaient, la tête sur leur bras. Il la
10 voyait toujours lui sourire, verser l'eau-de-vie jaune avec
un mouvement de l'épaule, et puis s'en aller en disant :

« Voilà ! Êtes-vous satisfait ? »

Et, à force de la garder ainsi dans son œil et dans son
esprit, il fut pris d'une telle envie de l'épouser que, n'y
pouvant plus tenir, il la demanda en mariage.

Il était riche, propriétaire de son embarcation, de ses
filets et d'une maison au pied de la côte sur la Retenue ;
tandis que le père Auban n'avait rien. Il fut donc agréé
avec empressement, et la noce eut lieu le plus vite
20 possible, les deux parties ayant hâte que la chose fût
faite, pour des raisons différentes.

Mais, trois jours après le mariage conclu, Patin ne
comprenait plus du tout comment il avait pu croire
Désirée différente des autres femmes. Vrai, fallait-il qu'il
eût été bête pour s'embarrasser d'une sans-le-sou qui
l'avait enjôlé avec sa fine, pour sûr, de la fine où elle
avait mis, pour lui, quelque sale drogue.

Et il jurait, tout le long des marées, cassait sa pipe
entre ses dents, bourrait son équipage ; et, ayant sacré à
30 pleine bouche avec tous les termes usités et contre tout
ce qu'il connaissait, il expectorait ce qui lui restait de
colère au ventre sur les poissons et les homards tirés un

plaisantait: s'amusait □ **la bouche** permet de manger □ **rieuse**: disposée à rire □ **malin**: montrant de la ruse

à force de boire: après avoir bu pendant une longue période

figure: visage, face

jetait: lançait □ on prend du poisson dans des **filets** □ **au...**

large: sur la mer, loin de la côte (**grand**: très loin de)

la **lune** brille la nuit □ **ténèbres**: obscurité □ **tenant**: ayant en main □ **barre**: commande □ **arrière** ≠ avant □ **bateau**: grosse barque □ **sommeillaient**: dormaient légèrement

sourire: montrer sa joie □ **verser**: remplir un verre de □ **eau-de-vie**: liqueur □ **épaule**, f.: haut du bras □ **s'en aller**: partir

garder: conserver □ **ainsi**: de cette manière

esprit: imagination □ **tel(le)**: si grand □ **n'y pouvant plus tenir**: incapable de résister □ **la demanda en...**: lui offrit le...

côte: terrain incliné □ **sur**: devant □ **retenue** (d'eau): bassin artificiel; **la Retenue**: quartier de la ville □ **tandis**: alors

empressement, m.: promptitude □ **noce**: fête du mariage □ **eut lieu**: arriva □ **parties** (contractantes) □ **chose**: affaire

fait(e): accompli

le mariage conclu: la célébration du mariage

pu < pouvoir

vrai: sûrement □ **fallait-il qu'il eût été**: comme il avait été...!

bête: stupide □ **s'embarrasser**: s'encombrer □ **sans-le-sou** ≠ millionnaire □ **enjôlé**: charmé □ **fine**: eau-de-vie supérieure

sale: (ici) pernicieuse

jurait: blasphémait □ **marée(s)**: montée ou descente de la mer □ **cassait**: brisait □ **bourrait**: frappait □ **équipage**: les hommes du bateau □ **sacré**: juré □ **usité(s)**: d'usage courant

expectorait: crachait

colère, f.: rage □ **ventre**: estomac □ **homard(s)**: gros crustacé

à un des filets, et ne les jetait plus dans les mannes qu'en les accompagnant d'injures et de termes malpropres.

Puis, rentré chez lui, ayant à portée de la bouche et de la main sa femme, la fille au père Auban, il ne tarda guère à la traiter comme la dernière des dernières. Puis, comme elle l'écoutait résignée, accoutumée aux violences paternelles, il s'exaspéra de son calme ; et, un soir, il cogna. Ce fut alors, chez lui, une vie terrible.

Pendant dix ans on ne parla sur la Retenue que des
10 tripotées que Patin flanquait à sa femme et que de sa manière de jurer, à tout propos, en lui parlant. Il jurait, en effet, d'une façon particulière, avec une richesse de vocabulaire et une sonorité d'organe qu'aucun autre homme, dans Fécamp, ne possédait. Dès que son bateau se présentait à l'entrée du port, en revenant de la pêche, on attendait la première bordée qu'il allait lancer, de son pont sur la jetée, dès qu'il aurait aperçu le bonnet blanc de sa compagne.

Debout, à l'arrière, il manœuvrait, l'œil sur l'avant et
20 sur la voile, aux jours de grosse mer, et, malgré la préoccupation du passage étroit et difficile, malgré les vagues de fond qui entraient comme des montagnes dans l'étroit couloir, il cherchait, au milieu des femmes attendant les marins, sous l'écume des lames, à reconnaî-tre la sienne, la fille au père Auban, la gueuse !

Alors, dès qu'il l'avait vue, malgré le bruit des flots et du vent, il lui jetait une engueulade, avec une telle force de gosier, que tout le monde en riait, bien qu'on la plaignît fort. Puis, quand le bateau arrivait à quai, il
30 avait une manière de décharger son lest de politesse, comme il disait, tout en débarquant son poisson, qui attirait autour de ses amarres tous les polissons et tous

manne(s), f. : grand panier
injure(s), f. : insulte □ **malpropre(s)** : obscène
ayant à portée de : pouvant atteindre avec
tarda : attendit
guère : pas beaucoup □ **la traiter** : se comporter envers elle
écoutait : entendait parler

cogna : donna des coups □ **alors** : à partir de ce moment

tripotée(s), f. : déluge de coups □ **flanquait** : envoyait durement
à tout propos : en toute occasion

organe, m. : voix
dès que : aussitôt que

attendait : se préparait à □ **bordée** (d'injures) : quantité
pont : surface construite sur le bateau □ **jetée** : structure
construite dans la mer pour protéger le port
debout : se tenant droit
voile : pièce d'étoffe pour prendre le vent □ **gros(se)** : fort □
malgré : en dépit de □ **étroit** ≠ large
vague(s), f. : ondulation de la mer □ **montagne(s)**, f. : région très
haute □ **couloir** : corridor □ **cherchait... à** : essayait... de
marin(s), m. : homme qui travaille sur un bateau □ **écume**, f. :
mousse □ **lame(s)**, f. : grosse vague □ **gueuse** : mauvaise femme
bruit : son □ **flot(s)**, m. : masse d'eau mobile
engueulade : sévère réprimande (familier)
gosier, m. : fond de la bouche, organe de la voix
la plaignît : eût pitié d'elle
décharger : vider son chargement □ **lest** : charge superflue, qui
sert à équilibrer un bateau
amarre(s), f. : câble □ **polisson(s)** : garçon mal élevé

145

les désœuvrés du port.

Cela lui sortait de la bouche, tantôt comme des coups de canon, terribles et courts, tantôt comme des coups de tonnerre qui roulaient durant cinq minutes, un tel ouragan de gros mots, qu'il semblait avoir dans les poumons tous les orages du Père Éternel.

Puis, quand il avait quitté son bord et qu'il se trouvait face à face avec elle au milieu des curieux et des harengères, il repêchait à fond de cale toute une
10 cargaison nouvelle d'injures et de duretés, et il la reconduisait ainsi jusqu'à leur logis, elle devant, lui derrière, elle pleurant, lui criant.

Alors, seul avec elle, les portes fermées, il tapait sous le moindre prétexte. Tout lui suffisait pour lever la main et, dès qu'il avait commencé, il ne s'arrêtait plus, en lui crachant alors au visage les vrais motifs de sa haine. À chaque gifle, à chaque horion il vociférait : « Ah ! sans-le-sou, ah ! va-nu-pieds, ah ! crève-la-faim, j'en ai fait un joli coup le jour où je me suis rincé la bouche avec le
20 tord-boyaux de ton filou de père ! »

Elle vivait maintenant, la pauvre femme, dans une épouvante incessante, dans un tremblement continu de l'âme et du corps, dans une attente éperdue des outrages et des rossées.

Et cela dura dix ans. Elle était si craintive qu'elle pâlissait en parlant à n'importe qui, et qu'elle ne pensait plus à rien qu'aux coups dont elle était menacée, et qu'elle était devenue plus maigre, jaune et sèche qu'un poisson fumé.

146

désœuvré(s) : qqn. qui n'est pas occupé, qui n'a rien à faire

tantôt... : parfois... □ **coups de canon** : détonations

court(s) : bref

tonnerre, m. : bruit de la foudre □ **roulaient** : se répercutaient

ouragan : tornade □ **gros mot(s)** : parole grossière, choquante

les **poumons** sont l'organe de la respiration □ **orage(s)** : tempête

bord : l'intérieur (du bateau)

harengère(s), f. : marchande de harengs □ **repêchait** : retrouvait
□ **à fond de cale** : en dernier ressort □ **cale, f.** : partie basse où
on met la **cargaison** (fret) du bateau □ **duretés** : mots méchants
□ **reconduisait** : ramenait □ **logis, m.** : maison □ **pleurant** : en
larmes □ **tapait** : frappait

lever : porter en l'air

s'arrêtait : stoppait

crachant : éjectant □ **visage** : face □ **haine** ≠ amour

gifle, f. : coup à la face donné avec la main ouverte □ **horion** :
coup □ **va-nu-pieds, crève-la-faim** = misérable □ **fait un joli
coup** : réussi à avoir un bon gain (aux cartes)

tord-boyaux : alcool indigeste □ **boyaux** : intestins □ **filou** :
malhonnête homme

épouvante : terreur

attente : anticipation □ **éperdu(e)** : angoissé

rossée(s), f. : distribution de coups

dura : se prolongea □ **craintive** : appréhensive

pâlissait : devenait pâle □ **n'importe qui** : l'un ou l'autre

maigre ≠ gras □ **sèche** : (ici) émaciée

fumé : cuit à la fumée d'un feu de bois pour être conservé

II

Une nuit, son homme étant à la mer, elle fut réveillée tout à coup par ce grognement de bête que fait le vent quand il arrive ainsi qu'un chien lâché ! Elle s'assit dans son lit, émue, puis, n'entendant plus rien, se recoucha ; mais, presque aussitôt, ce fut dans sa cheminée un mugissement qui secouait la maison tout entière, et cela s'étendit par tout le ciel comme si un troupeau 10 d'animaux furieux eût traversé l'espace en soufflant et en beuglant.

Alors elle se leva et courut au port. D'autres femmes y arrivaient de tous les côtés avec des lanternes. Les hommes accouraient et tous regardaient s'allumer dans la nuit, sur la mer, les écumes au sommet des vagues.

La tempête dura quinze heures. Onze matelots ne revinrent pas, et Patin fut de ceux-là.

On retrouva, du côté de Dieppe, des débris de la *Jeune-Amélie*, sa barque. On ramassa, vers Saint-Valéry, 20 les corps de ses matelots, mais on ne découvrit jamais le sien. Comme la coque de l'embarcation semblait avoir été coupée en deux, sa femme, pendant longtemps, attendit et redouta son retour ; car, si un abordage avait eu lieu, il se pouvait faire que le bâtiment abordeur l'eût recueilli, lui seul, et emmené au loin.

Puis, peu à peu, elle s'habitua à la pensée qu'elle était veuve, tout en tressaillant chaque fois qu'une voisine, qu'un pauvre ou qu'un marchand ambulant entrait brusquement chez elle.

30 Or, un après-midi, quatre ans environ après la disparition de son homme, elle s'arrêta, en suivant la rue aux Juifs, devant la maison d'un vieux capitaine, mort

réveillé(e) : sorti de son sommeil

tout à coup : soudain □ **grognement** : cri indistinct □ **bête, f.** :
animal □ **lâché** : libéré □ **s'assit** : ne resta pas allongée

ému(e) : troublé □ **se recoucha** : s'allongea encore

cheminée : endroit où on fait le feu

mugissement : cri fort et prolongé □ **secouait** : agitait

s'étendit : se développa □ **par** : à travers □ **troupeau** : groupe

traversé : parcouru □ **soufflant** : respirant fort

beuglant : criant fort (comme des bovins)

se leva : sortit de son lit □ **courut** : se précipita

accouraient : venaient en courant □ **s'allumer** : s'éclairer

écume(s), f. : mousse blanche de l'eau agitée □ **sommet** : crête

fut de : fut parmi

retrouva : découvrit □ **Dieppe** : 60 km à l'est de Fécamp

ramassa : rassembla □ **Saint-Valéry** : entre Fécamp et Dieppe

corps, m. : cadavre

coque : partie extérieure du bateau

coupé(e) : divisé

attendit : crut possible □ **redouta** : appréhenda □ **abordage** :
collision □ **se pouvait faire** : était possible □ **bâtiment** : gros
bateau □ **recueilli** : pris à bord □ **emmené** : conduit

puis : après cet événement □ **peu à peu** : progressivement

veuve : femme dont le mari est mort □ **tressaillant** : tremblant □

voisin(e) : qqn. qui habite à côté □ **ambulant** : itinérant

environ : approximativement

en suivant : en parcourant la longueur de

Juif(s) : descendant du peuple hébreu □ **mort** : décédé

149

récemment, et dont on vendait les meubles.

Juste en ce moment, on adjugeait un perroquet, un perroquet vert à tête bleue, qui regardait tout ce monde d'un air mécontent et inquiet.

« Trois francs ! criait le vendeur ; un oiseau qui parle comme un avocat, trois francs ! »

Une amie de la Patin lui poussa le coude :

« Vous devriez acheter ça, vous qu'êtes riche, dit-elle.
10 Ça vous tiendrait compagnie ; il vaut plus de trente francs, c't'oiseau-là. Vous le revendrez toujours ben vingt à vingt-cinq !

— Quatre francs ! mesdames, quatre francs ! répétait l'homme. Il chante vêpres et prêche comme M. le curé. C'est un phénomène... un miracle ! »

La Patin ajouta cinquante centimes, et on lui remit, dans une petite cage, la bête au nez crochu, qu'elle emporta.

Puis elle l'installa chez elle et, comme elle ouvrait la
20 porte de fil de fer pour offrir à boire à l'animal, elle reçut, sur le doigt, un coup de bec qui coupa la peau et fit venir le sang.

« Ah ! qu'il est mauvais », dit-elle.

Elle lui présenta cependant du chènevis et du maïs, puis le laissa lisser ses plumes en guettant d'un air sournois sa nouvelle maison et sa nouvelle maîtresse.

Le jour commençait à poindre, le lendemain, quand la Patin entendit, de la façon la plus nette, une voix, une voix forte, sonore, roulante, la voix de Patin, qui
30 criait :

« Te lèveras-tu, charogne ! »

Son épouvante fut telle qu'elle se cacha la tête sous

vendait: offrait pour être acheté □ **meuble(s)**, m. : tout objet qui équipe une maison, table, chaise, divan...

adjugeait: vendait aux enchères □ **perroquet**: oiseau tropical qui imite les paroles humaines

mécontent: non satisfait □ **inquiet**: appréhensif

vendeur: homme chargé de la vente

avocat: homme de loi qui assume la défense d'un accusé

la Patin: l'épouse Patin □ **coude**: articulation du milieu du bras □ **acheter**: acquérir en payant □ **qu'êtes** = qui êtes

tiendrait: ferait une □ **vaut** < valoir: a pour valeur

c't' = cet □ **toujours**: (ici) sans problème □ **ben** = bien

vêpres, f. pl. : office religieux du soir □ **M.** = monsieur □ **curé**: prêtre responsable d'une paroisse catholique

ajouta: mit en plus □ **remit**: donna

crochu: courbé (comme un crochet)

emporta: prit avec elle

comme: au moment où

fil de fer: corde métallique

reçut < recevoir □ la main a cinq **doigts** □ **bec**, m. : bouche d'un oiseau □ **peau**: surface du corps □ **sang**: liquide rouge du corps

chènevis: graine de chanvre (plante textile) □ **maïs**: céréale

lisser: polir, rendre lisse □ **plumes**, f. : le plumage □ **guettant**: surveillant □ **sournois**: hypocrite

poindre: apparaître □ **lendemain**: jour suivant

net(te): distinct

roulant(e): vibrant

charogne, f. : cadavre décomposé d'un animal (insulte !)

épouvante, f. : terreur □ **tel(le)**: si grand □ **cacha**: dissimula ses draps, car, chaque matin, jadis, dès qu'il avait ouvert les yeux, son défunt les lui hurlait dans l'oreille, ces quatre mots qu'elle connaissait bien.

Tremblante, roulée en boule, le dos tendu à la rossée qu'elle attendait déjà, elle murmurait, la figure cachée dans la couche :

« Dieu Seigneur, le v'là ! Dieu Seigneur, le v'là ! Il est r'venu, Dieu Seigneur ! »

Les minutes passaient ; aucun bruit ne troublait plus le
10 silence de la chambre. Alors, en frémissant, elle sortit sa tête du lit, sûre qu'il était là, guettant, prêt à battre.

Elle ne vit rien, rien qu'un trait de soleil passant par la vitre et elle pensa :

« Il est caché, pour sûr. »

Elle attendit longtemps, puis, un peu rassurée, songea :

« Faut croire que j'ai rêvé, p'isqu'il n'se montre point. »

Elle refermait les yeux, un peu rassurée, quand éclata,
20 tout près, la voix furieuse, la voix de tonnerre du noyé qui vociférait :

« Nom d'un nom, d'un nom, d'un nom, d'un nom, te lèveras-tu, ch... ! »

Elle bondit hors du lit, soulevée par l'obéissance, par sa passive obéissance de femme rouée de coups, qui se souvient encore, après quatre ans, et qui se souviendra toujours, et qui obéira toujours à cette voix-là ! Et elle dit :

« Me v'la, Patin. Qué que tu veux ? »
30   Mais Patin ne répondit pas.

Alors, éperdue, elle regarda autour d'elle, puis elle chercha partout, dans les armoires, dans la cheminée,

drap(s), m. : grande pièce de lin ou de coton sur un lit

son défunt : son mari mort □ **hurlait** : criait fort □ **l'oreille** sert à entendre

en boule : en rond □ **tendu à** : (ici) arrondi pour

attendait : anticipait

couche : lit

seigneur : prince, maître □ **v'là** = voilà

bruit : sonorité

chambre : pièce où on dort □ **frémissant** : tremblant

prêt : préparé

trait : rayon □ le **soleil** éclaire la terre

vitre : partie transparente de la fenêtre

attendit : patienta □ **songea** : pensa, se dit à elle-même

(il) **faut croire** : probablement □ **rêvé** : imaginé □ **p'isqu'il** = puisqu'il □ **montre** : manifeste

refermait les yeux : allait se rendormir □ **éclata** : explosa

noyé : qqn. qui est mort dans l'eau

bondit : se propulsa □ **soulevé(e)** : porté

roué(e) de... : qui a reçu un déluge de □ **se souvient** : a en mémoire

qué que... ? = qu'est-ce que... ?

armoire(s), f. : grand meuble de rangement

153

sous le lit, sans trouver personne, et elle se laissa choir enfin sur une chaise, affolée d'angoisse, convaincue que l'âme de Patin, seule, était là, près d'elle, revenue pour la torturer.

Soudain, elle se rappela le grenier, où on pouvait monter du dehors par une échelle. Assurément, il s'était caché là pour la surprendre. Il avait dû, gardé par des sauvages sur quelque côte, ne pouvoir s'échapper plus tôt, et il était revenu, plus méchant que jamais. Elle n'en
10 pouvait douter, rien qu'au timbre de sa voix.

Elle demanda, la tête levée vers le plafond :

« T'es-ti là-haut, Patin ? »

Patin ne répondit pas.

Alors elle sortit et, avec une peur affreuse qui lui secouait le cœur, elle monta l'échelle, ouvrit la lucarne, regarda, ne vit rien, entra, chercha et ne trouva pas.

Assise sur une botte de paille, elle se mit à pleurer ; mais, pendant qu'elle sanglotait, traversée d'une terreur poignante et surnaturelle, elle entendit, dans sa chambre,
20 au-dessous d'elle, Patin qui racontait des choses. Il semblait moins en colère, plus tranquille, et il disait :

« Sale temps ! — Gros vent ! — Sale temps ! — J'ai pas déjeuné, nom d'un nom ! »

Elle cria à travers le plafond :

« Me v'là, Patin ; j'vas te faire la soupe. Te fâche pas, j'arrive. »

Et elle redescendit en courant.

Il n'y avait personne chez elle.

Elle se sentit défaillir comme si la Mort la touchait, et
30 elle allait se sauver pour demander secours aux voisins, quand la voix, tout près de son oreille, cria :

« J'ai pas déjeuné, nom d'un nom ! »

choir: tomber
chaise: siège □ **affolée**: rendue folle par
âme: partie spirituelle de l'être humain

se rappela le: se souvint du □ **grenier**: espace sous le toit
monter ≠ descendre □ **du dehors**: de l'extérieur □ **une échelle**
permet de s'élever □ **surprendre**: saisir □ **gardé**: retenu
sauvage(s), m. ≠ civilisé □ **s'échapper**: se libérer □ **plus tôt**:
auparavant
rien qu'au: uniquement par le
plafond: surface qui couvre le haut d'une pièce
t'es-ti...?: es-tu?

peur: crainte □ **affreuse**: atroce
secouait: agitait fortement □ **lucarne**: fenêtre sur un toit

botte: gros paquet □ **paille**, f.: restes de céréales séchées
sanglotait < sanglot, pleur spasmodique □ **traversé(e)**: pénétré

racontait: disait
en colère: irrité
sale: (ici) mauvais
déjeuné: mangé

j'vas = je vais □ **te fâche pas**: ne te mets pas en colère

défaillir: perdre connaissance
se sauver: partir rapidement □ **secours**, m.: aide

Et le perroquet, dans sa cage, la regardait de son œil rond, sournois et mauvais.

Elle aussi, le regarda, éperdue, murmurant :

« Ah, c'est toi ! »

Il reprit, en remuant la tête :

« Attends, attends, attends, je vas t'apprendre à fainéanter ! »

Que se passa-t-il en elle ? Elle sentit, elle comprit que c'était bien lui, le mort, qui revenait, qui s'était caché
10 dans les plumes de cette bête pour recommencer à la tourmenter, qu'il allait jurer, comme autrefois, tout le jour, et la mordre, et crier des injures pour ameuter les voisins et les faire rire. Alors elle se rua, ouvrit la cage, saisit l'oiseau qui, se défendant, lui arrachait la peau avec son bec et ses griffes. Mais elle le tenait de toute sa force, à deux mains, et, se jetant par terre, elle se roula dessus avec une frénésie de possédée, l'écrasa, en fit une loque de chair, une petite chose molle, verte, qui ne remuait plus, qui ne parlait plus, et qui pendait ; puis,
20 l'ayant enveloppée d'un torchon comme d'un linceul, elle sortit, en chemise, nu-pieds, traversa le quai, que la mer battait de courtes vagues et, secouant le linge, elle laissa tomber dans l'eau cette petite chose morte qui ressemblait à un peu d'herbe ; puis elle rentra, se jeta à genoux devant la cage vide, et, bouleversée de ce qu'elle avait fait, demanda pardon au bon Dieu, en sanglotant, comme si elle venait de commettre un horrible crime.

remuant: agitant
attends, attends... = tu vas voir
fainéanter: rester sans rien faire
se passa-t-il: arriva-t-il □ **sentit**: eut l'impression

mordre: attaquer avec son bec (ou les dents) □ **ameuter**: provoquer un scandale parmi □ **se rua**: se précipita
arrachait: enlevait violemment
l'oiseau tient sur la branche avec **ses griffes**
se roula dessus: fit rouler son corps sur lui
possédée (du diable) □ **l'écrasa**: mit tout son poids sur lui
loque: vieux vêtement □ **chair,** f.: viande □ **molle**: sans consistance □ **pendait**: restait inerte
torchon: rectangle d'étoffe pour essuyer □ **linceul**: drap mortuaire □ **chemise** (de nuit): vêtement pour dormir
linge: pièce d'étoffe

l'**herbe** verte couvre la prairie □ **rentra** (chez elle) □ **à genoux**: posture pour prier □ **vide**: inoccupé(e) □ **bouleversé(e)**: très perturbé

Grammaire au fil des nouvelles

Remplissez les blancs avec le mot ou la forme grammaticale qui se trouve dans le texte (le premier chiffre renvoie à la page, le second à la ligne) :

Il l'avait ..., jadis, parce qu'elle était gentille, quoiqu'elle ... pauvre (épouser ; être, 140 - 8).

Quand il avait bu le premier verre de fil, il la ... déjà plus gentille (trouver, 140 - 22).

Il y pensait en tenant sa ..., à l'arrière de son bateau (= pièce pour les manœuvres, 142 - 7).

La noce eut lieu le plus vite possible, les deux parties ayant hâte que la chose ... faite (être, 142 - 19).

Mais, trois jours après le mariage conclu, Patin ne comprenait plus du tout comment il ... croire Désirée différente des autres femmes (pouvoir, 142 - 22).

Il cherchait, au milieu des femmes attendant les marins, à reconnaître ... (pron. poss., 144 - 23).

Il lui jetait une engueulade, avec une telle force de gosier, que tout le monde en riait, bien qu'on la ... fort (plaindre, 144 - 27).

Cela (les jurons) lui sortait de la bouche, ... comme des coups de canon, ... comme des coups de tonnerre (= parfois, parfois, 146 - 2).

Elle ne pensait plus à rien qu'aux coups ... elle était menacée (pron. rel., 146 - 26).

Onze matelots ne revinrent pas, et Patin fut de ... (pron. démonst., 148 - 16).

Elle s'arrêta devant la maison d'un vieux capitaine, mort récemment, et ... on vendait les meubles (pron. rel., 148 - 31).

On adjugeait un ..., un ... vert à tête bleue (= oiseau tropical qui parle, 150 - 3).

Elle entendit, dans sa chambre, Patin ... racontait des choses (pron. rel., 154 - 19).

Attends, je vas t'apprendre ... fainéanter ! (préposition, 156 - 6).

Elle demanda pardon au bon Dieu, comme si elle ... de commettre un horrible crime (passé récent = avait tout juste commis, 156 - 26).

APRÈS

Il y a deux manières de lire cette nouvelle.

La première consiste à y voir un tableau intimiste ou un instantané touchant, conforme au cadre du récit. C'est une soirée au coin du feu, remplie par la seule conversation de deux personnes d'âge, naturellement enclines à évoquer les jours écoulés. La grande émotion laissée par le court diptyque final, où chacun retourne à sa solitude, montre que Maupassant n'a pas négligé de faire vibrer cette corde.

Mais on découvrira aussi, dans une seconde lecture d'*Après,* l'importance des éléments autobiographiques. Si étrange que paraisse le masque d'un prêtre pour l'anticlérical et l'agnostique qu'était Maupassant, le nom de l'abbé Mauduit est un signe de reconnaissance assez clair : ses souvenirs douloureux de pensionnat, son hyperémotivité, son refus d'engagements familiaux, c'est Maupassant lui-même. Et ce personnage si fragile, qu'un « chien écrasé » suffit à ébranler irrémédiablement, c'est l'auteur, qui, sans doute, se sent « maudit ».

Quand il écrit *Après* en 1891, il a plus de quarante ans. C'est une de ses dernières œuvres. Si l'on rapporte le titre à sa propre vie, il s'agit à la fois du regret « des choses auxquelles on ne pense point quand on est jeune » et, à l'inverse, de la prémonition d'un être sur sa fin, qui voit déjà « s'enfoncer dans la nuit sa grande ombre lente ».

« Mes chéris, dit la comtesse, il faut aller vous coucher. »

Les trois enfants, filles et garçon, se levèrent, et ils allèrent embrasser leur grand-mère.

Puis, ils vinrent dire bonsoir à M. le Curé, qui avait dîné au château, comme il faisait tous les jeudis.

L'abbé Mauduit en assit deux sur ses genoux, passant ses longs bras vêtus de noir derrière le cou des enfants, et, rapprochant leurs têtes, d'un mouvement paternel, il
10 les baisa sur le front d'un long baiser tendre.

Puis, il les remit à terre, et les petits êtres s'en allèrent, le garçon devant, les filles derrière.

« Vous aimez les enfants, monsieur le Curé, dit la comtesse.

— Beaucoup, madame. »

La vieille femme leva sur le prêtre ses yeux clairs.

« Et... votre solitude ne vous a jamais trop pesé ?

— Si, quelquefois. »

Il se tut, hésita, puis reprit : « Mais je n'étais pas né
20 pour la vie ordinaire.

— Qu'est-ce que vous en savez ?

— Oh ! je le sais bien. J'étais fait pour être prêtre, j'ai suivi ma voie. »

La comtesse le regardait toujours :

« Voyons, monsieur le Curé, dites-moi ça, dites-moi comment vous vous êtes décidé à renoncer à tout ce qui nous fait aimer la vie, nous autres, à tout ce qui nous console et nous soutient. Qui est-ce qui vous a poussé, déterminé à vous écarter du grand chemin naturel, du
30 mariage et de la famille ? Vous n'êtes ni un exalté, ni un fanatique, ni un sombre, ni un triste. Est-ce un événement, un chagrin, qui vous a décidé à prononcer

vous coucher : vous mettre au lit

---

se levèrent : se mirent debout

embrasser : donner des baisers à

curé : prêtre chargé d'une paroisse (tout prêtre séculier peut aussi être appelé **abbé** par respect)

assit : fit asseoir □ **genou(x)**, m. : milieu de la jambe

bras : membre supérieur □ **vêtu(s) :** habillé □ **cou :** partie qui relie la tête au corps □ **rapprochant :** amenant plus près

les baisa... d'un baiser : leur donna un... □ **front :** haut du visage

remit : déposa à nouveau □ **être(s)**, m. : créature

leva sur... ses yeux : regarda en face □ **clair(s) :** de couleur claire

a... pesé : a été dure à supporter

si = oui (question négative) □ **quelquefois :** de temps en temps

se tut < se taire, ne rien dire □ **reprit** la parole □ **né** < naître, venir au monde □ **vie**, f. ≠ mort

ai suivi : me suis conformé à □ **voie :** route, (ici) vocation

toujours : encore

voyons : je vous en prie

soutient : aide moralement □ **poussé :** incité

écarter du : sortir du □ **chemin :** voie, passage habituel

sombre : mélancolique □ **triste** ≠ gai

chagrin : souffrance morale

161

des vœux éternels ? »

L'abbé Mauduit se leva et se rapprocha du feu, puis tendit aux flammes ses gros souliers de prêtre de campagne. Il semblait toujours hésiter à répondre.

C'était un grand vieillard à cheveux blancs qui desservait depuis vingt ans la commune de Saint-Antoine-du-Rocher. Les paysans disaient de lui : « En v'là un brave homme ! »

C'était un brave homme en effet, bienveillant, familier,
10 doux, et surtout généreux. Comme saint Martin, il eût coupé en deux son manteau. Il riait volontiers et pleurait aussi pour peu de chose, comme une femme, ce qui lui nuisait même un peu dans l'esprit des campagnards.

La vieille comtesse de Saville, retirée en son château du Rocher, pour élever ses petits-enfants, après la mort successive de son fils et de sa belle-fille, aimait beaucoup son curé, et disait de lui : « C'est un cœur. »

Il venait tous les jeudis passer la soirée chez la châtelaine, et ils s'étaient liés, d'une bonne et franche
20 amitié de vieillards. Ils s'entendaient presque sur tout à demi-mot, étant tous les deux bons de la simple bonté des gens simples et doux.

Elle insistait : « Voyons, monsieur le Curé, confessez-vous à votre tour. »

Il répéta : « Je n'étais pas né pour la vie de tout le monde. Je m'en suis aperçu à temps, heureusement, et j'ai bien souvent constaté que je ne m'étais pas trompé. »

★

Mes parents, marchands merciers à Verdiers, et assez
30 riches, avaient beaucoup d'ambition pour moi. On me mit en pension fort jeune. On ne sait pas ce que peut souffrir un enfant dans un collège, par le seul fait de la

162

vœu(x) : engagement religieux

le **feu** de bois qui brûle dans la cheminée

tendit : présenta □ **soulier(s)** : chaussure basse

campagne ≠ ville □ **semblait** : paraissait □ **répondre** ≠ questionner □ **vieillard** : homme âgé □ les **cheveux** sont sur la tête □ **desservait** : assurait le service de □ **commune** : village □ **Saint-Antoine...** : 12 km au nord de Tours □ **paysan(s), m.** : habitant de la campagne □ **v(oi)là** □ **brave** : gentil, obligeant

en effet : réellement □ **bienveillant** : amical, bien disposé

doux : calme, gentil

coupé : divisé □ **manteau** : gros vêtement □ **riait** ≠ **pleurait**, versait des larmes □ **volontiers** : facilement

nuisait : causait du détriment □ **esprit, m.** : pensée, jugement

élever : éduquer

belle-fille : épouse d'un fils

(un être plein de) **cœur** : bonté, générosité

soirée : fin de la journée

châtelaine : propriétaire du château □ **lié(s)** : attaché

s'entendaient : étaient d'accord □ **presque** : à peu près

à demi-mot : sans explication complète

à votre tour : vous aussi

tout le monde : les personnes ordinaires

m'en suis aperçu : l'ai compris □ **à temps** : au bon moment

constaté : observé □ **ne m'étais pas trompé** : n'avais pas fait d'erreur

les **merciers** vendent des articles de couture □ **Verdiers** : nom fictif

pension : école où les élèves vivent (élément autobiographique)

séparation, de l'isolement. Cette vie uniforme et sans tendresse est bonne pour les uns, détestable pour les autres. Les petits êtres ont souvent le cœur bien plus sensible qu'on ne croit, et en les enfermant ainsi trop tôt, loin de ceux qu'ils aiment, on peut développer à l'excès une sensibilité qui s'exalte, devient maladive et dangereuse.

Je ne jouais guère, je n'avais pas de camarades, je passais mes heures à regretter la maison, je pleurais la
10 nuit dans mon lit, je me creusais la tête pour retrouver des souvenirs de chez moi, des souvenirs insignifiants de petites choses, de petits faits. Je pensais sans cesse à tout ce que j'avais laissé là-bas. Je devenais tout doucement un exalté pour qui les plus légères contrariétés étaient d'affreux chagrins.

Avec cela je demeurais taciturne, renfermé, sans expansion, sans confidents. Ce travail d'excitation mentale se faisait obscurément et sûrement. Les nerfs des enfants sont vite agités ; on devrait veiller à ce qu'ils
20 vivent dans une paix profonde, jusqu'à leur développement presque complet. Mais qui donc songe que, pour certains collégiens, un pensum injuste peut être une aussi grosse douleur que le sera plus tard la mort d'un ami ; qui donc se rend compte exactement que certaines jeunes âmes ont pour presque rien des émotions terribles, et sont, en peu de temps, des âmes malades, inguérissables ?

Ce fut mon cas ; cette faculté de regret se développa en moi d'une telle façon que toute mon existence devint
30 un martyre.

Je ne le disais pas, je ne disais rien ; mais je devins peu à peu d'une sensibilité ou plutôt d'une sensitivité si

tendresse, f. : affection

le cœur est considéré comme le siège de l'affectivité

sensible : émotif □ **enfermant** : tenant prisonnier(s) □ **ainsi** : dans ces conditions □ **tôt** : jeune

sensibilité : émotivité □ **maladive** : un peu morbide

jouais : m'amusais (à des jeux d'enfants) □ **ne... guère** : peu

nuit ≠ jour □ **me creusais la tête** : me concentrais avec force □ **retrouver** : découvrir □ **chez moi** : ma famille

sans cesse : continuellement

laissé : abandonné □ **là-bas** : loin de moi

affreux : horrible

renfermé ≠ communicatif

travail : labeur

vite : rapidement □ **veiller** : faire attention

vivent : passent l'existence □ **paix** : tranquillité

songe : imagine

collégien(s), m. : élève d'un collège □ **pensum** : punition écrite

douleur : affliction, souffrance

se rend compte : comprend

âme(s) : partie spirituelle d'un être □ **pour presque rien** : sans grande raison □ **malade(s)** : en mauvaise santé

inguérissable(s) : incurable

martyre : tourments endurés par un martyr (-yr !)

vive que mon âme ressemblait à une plaie vive. Tout ce qui la touchait y produisait des tiraillements de souffrance, des vibrations affreuses et par suite de vrais ravages. Heureux les hommes que la nature a cuirassés d'indifférence et armés de stoïcisme !

J'atteignis seize ans. Une timidité excessive m'était venue de cette aptitude à souffrir de tout. Me sentant découvert contre toutes les attaques du hasard ou de la destinée, je redoutais tous les contacts, toutes les

10 approches, tous les événements. Je vivais en éveil comme sous la menace constante d'un malheur inconnu et toujours attendu. Je n'osais ni parler, ni agir en public. J'avais bien cette sensation que la vie est une bataille, une lutte effroyable où on reçoit des coups épouvantables, des blessures douloureuses, mortelles. Au lieu de nourrir, comme tous les hommes, l'espérance heureuse du lendemain, j'en gardais seulement la crainte confuse et je sentais en moi une envie de me cacher, d'éviter ce combat où je serais vaincu et tué.

20 Mes études finies, on me donna six mois de congé pour choisir une carrière. Un événement bien simple me fit voir clair en moi tout à coup, me montra l'état maladif de mon esprit, me fit comprendre le danger et me décida à le fuir.

Verdiers est une petite ville entourée de plaines et de bois. Dans la rue centrale se trouvait la maison de mes parents. Je passais maintenant mes journées loin de cette demeure que j'avais tant regrettée, tant désirée. Des rêves s'étaient réveillés en moi et je me promenais dans

30 les champs tout seul pour les laisser s'échapper, s'envoler.

Mon père et ma mère, tout occupés de leur commerce

vive : forte □ **plaie :** lésion □ **vive :** ouverte
tiraillement(s), m. : contraction pénible
vrai(s) : effectivement réel
cuirassé(s) : fortifié

atteignis < atteindre, arriver à l'âge de
me sentant : sachant que j'étais
découvert : sans protection
redoutais : avais peur de
en éveil : attentif
malheur : désastre □ **inconnu :** mystérieux
attendu : imminent □ **osais :** avais l'audace de □ **agir :** faire un geste quelconque
lutte : combat □ **effroyable :** atroce □ **coup(s),** m. : choc □ **épouvantable(s) :** horrible □ **blessure(s),** f. : lésion
nourrir : préserver, entretenir □ **espérance** ≠ désespoir
lendemain : futur □ **en** = du lendemain □ **gardais :** conservais
me cacher : rester dans l'obscurité □ **éviter :** ne pas prendre part à, fuir □ **vaincu** ≠ victorieux □ **tué :** frappé de mort
mois, m. : 30 jours □ **congé,** m. : vacances

voir clair en moi : comprendre ma nature □ **état :** condition
mon esprit : mon tempérament
le fuir : m'en éloigner rapidement
entouré(e) : situé au milieu
bois, m. : petite forêt □ **se trouvait :** était situé(e)
maintenant : à présent □ **journée(s),** f. : jour □ **loin** ≠ près
demeure : habitation
rêve(s) : réflexion nourrie par l'imagination □ **réveillé(s) :** ranimé □ **champ(s) :** terre cultivée □ **s'échapper :** partir loin
s'envoler : partir dans l'air
commerce : (ici) boutique

et préoccupés de mon avenir, ne me parlaient que de leur vente ou de mes projets possibles. Ils m'aimaient en gens positifs, d'esprit pratique, ils m'aimaient avec leur raison bien plus qu'avec leur cœur ; je vivais muré dans mes pensées et frémissant de mon éternelle inquiétude.

Or, un soir, après une longue course, j'aperçus, comme je revenais à grands pas afin de ne point me mettre en retard, un chien qui galopait vers moi. C'était une sorte d'épagneul rouge, fort maigre, avec de longues
10 oreilles frisées.

Quand il fut à dix pas il s'arrêta. Et j'en fis autant. Alors il se mit à agiter sa queue et il s'approcha à petits pas avec des mouvements craintifs de tout le corps, en fléchissant sur ses pattes comme pour m'implorer et en remuant doucement la tête. Je l'appelai. Il fit alors mine de ramper avec une allure si humble, si triste, si suppliante que je me sentis les larmes aux yeux. J'allai vers lui, il se sauva, puis revint et je mis un genou par terre en lui débitant des douceurs afin de l'attirer. Il se
20 trouva enfin à portée de ma main et, tout doucement, je le caressai avec des précautions infinies.

Il s'enhardit, se releva peu à peu, posa ses pattes sur mes épaules et se mit à me lécher la figure. Il me suivit jusqu'à la maison.

Ce fut vraiment le premier être que j'aimai passionnément, parce qu'il me rendait ma tendresse. Mon affection pour cette bête fut certes exagérée et ridicule. Il me semblait confusément que nous étions deux frères, perdus sur la terre, aussi isolés et sans défense l'un que
30 l'autre. Il ne me quittait plus, dormait au pied de mon lit, mangeait à ma table malgré les mécontentements de mes parents et il me suivait dans mes courses

avenir : futur

vente, f. : profit tiré d'activités commerçantes □ **projet(s),** m. :
plan □ **gens** : personnes

raison, f. : intellect □ **muré dans** : cloîtré dans, captif de

frémissant : tremblant □ **inquiétude** : anxiété

course : promenade □ **aperçus** : remarquai

comme : pendant que □ **à grands pas** : en marchant vite □ **afin
de** : pour □ **en retard** : après l'heure normale □ **chien** : animal

épagneul, m. : chien à poils longs et à oreilles tombantes
on entend avec les **oreilles** □ **frisé(es)** : bouclé

dix pas : 7 à 8 mètres □ **s'arrêta** : stoppa □ **j'en fis autant** : je
l'imitai □ **queue** ≠ tête

craintif(s) : timide

fléchissant : s'abaissant □ **patte(s),** f. : jambe d'une bête

remuant : agitant □ **l'appelai** : le fis venir □ **fit... mine de** : fit
semblant □ **ramper** : se déplacer comme un serpent □ **allure** :
attitude □ **larme(s),** f. : liquide qui coule des yeux

se sauva : partit rapidement

débitant : récitant □ **douceur(s)** f. : mots gentils □ **attirer** : inciter
à venir □ **à portée de** : sous

s'enhardit : prit courage □ **se releva** : se redressa □ **posa** : plaça

épaule(s), f. : le haut du bras □ **lécher** : passer la langue sur □
suivit jusqu'à la maison : m'accompagna chez moi

rendait : redonnait

certes : assurément

perdu(s) : abandonné

dormait : se reposait

mécontentement(s), m. : sentiment désapprobateur

solitaires.

Souvent je m'arrêtais sur les bords d'un fossé et je m'asseyais dans l'herbe. Sam aussitôt accourait, se couchait à mes côtés ou sur mes genoux et il soulevait ma main du bout de son museau afin de se faire caresser.

Un jour, vers la fin de juin, comme nous étions sur la route de Saint-Pierre-de-Chavrol, j'aperçus venir la diligence de Ravereau. Elle accourait au galop des
10 quatre chevaux, avec son coffre jaune et la casquette de cuir noir qui coiffait son impériale. Le cocher faisait claquer son fouet ; un nuage de poussière s'élevait sous les roues de la lourde voiture, puis flottait par-derrière, à la façon d'un nuage.

Et tout à coup, comme elle arrivait à moi, Sam, effrayé peut-être par le bruit et voulant me joindre, s'élança devant elle. Le pied d'un cheval le culbuta, je le vis rouler, tourner, se relever, retomber sous toutes ces jambes, puis la voiture entière eut deux grandes
20 secousses et j'aperçus derrière elle, dans la poussière, quelque chose qui s'agitait sur la route. Il était presque coupé en deux : tout l'intérieur de son ventre déchiré pendait, sortait avec des bouillons de sang. Il essayait de se relever, de marcher, mais les deux pattes de devant pouvaient seules remuer et grattaient la terre, comme pour faire un trou ; les deux autres étaient déjà mortes. Et il hurlait affreusement, fou de douleur.

Il mourut en quelques minutes. Je ne puis exprimer ce que je ressentis et combien j'ai souffert. Je gardai la
30 chambre pendant un mois.

Or, un soir, mon père furieux de me voir dans cet état pour si peu, s'écria : « Qu'est-ce que ce sera donc quand

bord(s), m. : limite □ **fossé** : terrain creusé en longueur
m'asseyais : me plaçais □ **l'herbe** est verte □ **accourait** : venait
en courant □ **se couchait** : s'allongeait □ **soulevait** : prenait par
en dessous □ **bout** : extrémité □ **museau** : bouche d'un animal

Saint-Pierre-de-Chavrol,... Ravereau : noms fictifs
diligence : voiture rapide et régulière pour voyageurs
coffre : compartiment des bagages □ **casquette** : couverture
cuir : peau □ **coiffait** : protégeait □ **impériale** : toit □ **cocher** :
conducteur □ **fouet** : corde pour frapper un cheval □ **poussière** :
particules de terre sèche □ une **voiture** se déplace sur des **roues**
nuage : masse qui obscurcit le ciel
tout à coup : soudainement
effrayé : terrorisé □ **peut-être** : probablement □ **bruit** : son
s'élança : se précipita □ **culbuta** : renversa en arrière
vis < voir □ **retomber** : tomber encore

secousse(s) : choc (au passage des roues)
presque : pas entièrement
coupé : séparé □ **ventre** : abdomen □ **déchiré** : mis en pièces
pendait : tombait □ **bouillon(s)** : flot □ **sang**, m. : liquide rouge
qui circule dans le corps
grattaient : frottaient
trou : cavité
hurlait : poussait des cris □ **fou de** : au paroxysme de la
exprimer : dire clairement
ressentis : sentis, endurai □ **gardai** : demeurai dans, conservai

or : c'est dans ces circonstances qu'

tu auras de vrais chagrins, si tu perds ta femme, tes enfants ! On n'est pas bête à ce point-là ! »

Ce mot, dès lors, me resta dans la tête, me hanta : « Qu'est-ce que ce sera donc quand tu auras de vrais chagrins, si tu perds ta femme, tes enfants. »

Et je commençai à voir clair en moi. Je compris pourquoi toutes les petites misères de chaque jour prenaient à mes yeux une importance de catastrophe ; je m'aperçus que j'étais organisé pour souffrir affreusement
10 de tout, pour percevoir, multipliées par ma sensibilité malade, toutes les impressions douloureuses, et une peur atroce de la vie me saisit. J'étais sans passions, sans ambitions ; je me décidai à sacrifier les joies possibles pour éviter les douleurs certaines. L'existence est courte, je la passerai au service des autres, à soulager leurs peines et à jouir de leur bonheur, me disais-je. N'éprouvant directement ni les unes ni les autres, je n'en recevrai que les émotions affaiblies.

Et si vous saviez cependant comme la misère me
20 torture, me ravage ! Mais ce qui aurait été pour moi une intolérable souffrance est devenu de la commisération, de la pitié.

Ces chagrins que je touche à chaque instant, je ne les aurais pas supportés tombant sur mon propre cœur. Je n'aurais pas pu voir mourir un de mes enfants sans mourir moi-même. Et j'ai gardé malgré tout une telle peur obscure et pénétrante des événements, que la vue du facteur entrant chez moi me fait passer chaque jour un frisson dans les veines, et pourtant je n'ai plus rien à
30 craindre maintenant.

★

L'abbé Mauduit se tut. Il regardait le feu dans la

perds : vois mourir
bête : stupide, faible
dès lors : à partir de ce jour □ **hanta :** obséda

percevoir : ressentir
peur : crainte

court(e) : bref
soulager : alléger, donner du réconfort pour
peine(s), f. : souffrance □ **jouir :** me réjouir □ **bonheur,** m. : joie
de vivre □ **éprouvant :** ayant la connaissance de(s)
affaibli(es) : devenu faible
comme : à quel point

supporté(s) : enduré □ **tombant :** s'ils tombaient sur, touchaient

malgré tout : en dépit de tout, cependant □ **tel(le) :** si grand

facteur : homme qui délivre les lettres
frisson : courant froid
craindre : redouter

grande cheminée, comme pour y voir des choses mystérieuses, tout l'inconnu de l'existence qu'il aurait pu vivre s'il avait été plus hardi devant la souffrance. Il reprit d'une voix plus basse :

« J'ai eu raison. Je n'étais point fait pour ce monde... »

La comtesse ne disait rien ; enfin, après un long silence, elle prononça : « Moi, si je n'avais pas mes petits-enfants, je crois que je n'aurais plus le courage de
10 vivre. »

Et le curé se leva sans dire un mot de plus.

Comme les domestiques sommeillaient dans la cuisine, elle le conduisit elle-même jusqu'à la porte qui donnait sur le jardin et elle regarda s'enfoncer dans la nuit sa grande ombre lente qu'éclairait un reflet de lampe.

Puis elle revint s'asseoir devant son feu et elle songea à bien des choses auxquelles on ne pense point quand on est jeune.

cheminée : endroit où il y a le feu de bois
l'inconnu : la partie non connue
hardi : courageux
plus bas(se) = moins fort
j'ai eu raison : j'ai agi correctement

sommeillaient : étaient à demi endormis □ **cuisine** : pièce où on prépare les repas □ **conduisit** : accompagna □ **donnait** : ouvrait **jardin** : parc qui entoure une maison □ **s'enfoncer** : pénétrer **ombre** : silhouette □ **éclairait** : illuminait □ **reflet** : lumière projetée par la lampe qu'il porte □ **s'asseoir** : se mettre dans un siège □ **songea** : réfléchit

Grammaire au fil des nouvelles

Remplissez les blancs avec le mot ou la forme grammaticale qui se trouve dans le texte (le premier chiffre renvoie à la page, le second à la ligne) :

Les enfants vinrent dire bonsoir. L'abbé Mauduit ... assit deux sur ses genoux (= des enfants, 160 - 7).

Dites-moi comment vous vous êtes décidé à renoncer à tout ... nous fait aimer la vie (pron. démonst. + rel., 160 - 25).

C'était un grand vieillard ... cheveux blancs qui ... depuis vingt ans la commune de Saint-Antoine-du-Rocher (préposition ; desservir, 162 - 5).

Je pensais sans cesse à tout ... j'avais laissé là-bas (pron. démonst. + rel., 164 - 12).

Pour certains collégiens, un pensum injuste peut être une aussi grosse douleur que le ... plus tard la mort d'un ami (être, 164 - 22).

Je n'osais ... parler, ... agir en public (conjonctions de coordination, 166 - 12).

Au lieu de nourrir l'espérance heureuse du lendemain, j'... gardais seulement la crainte confuse (= du lendemain, 166 - 15).

Je passais mes journées loin de cette demeure que j'avais tant ..., tant ... (regretter, désirer, 166 - 27).

Quand il fut à dix pas il s'arrêta. Et j'... fis autant (pron. = le fait de m'arrêter, 168 - 11).

J'allai vers lui, il se sauva, puis ... et je ... un genou par terre (revenir ; mettre, 168 - 17).

Ce fut le premier être que j'... passionnément (aimer, 168 - 25).

Il soulevait ma main du bout de son ... afin de se faire caresser (= bouche d'un animal, 170 - 4).

Il mourut ... quelques minutes (préposition, 170 - 28).

Qu'est-ce que ce ... donc quand tu auras ... vrais chagrins (être ; article partitif, 172 - 4).

L'abbé regardait le feu, comme pour ... voir des choses mystérieuses, tout l'inconnu de l'existence qu'il ... vivre s'il avait été plus hardi (pronom = dans le feu ; pouvoir, 172 - 32).

Elle songea à bien des choses ... on ne pense point quand on est jeune (pron. rel., 174 - 16).

AMOUR

Parues d'abord dans la presse en 1886, ces « trois pages »,
extraites d'un prétendu journal de chasseur, apparaissent
comme un hommage à Tourgueniev. *Amour* fut intégré en 1887
au recueil *Le Horla* et a connu plusieurs publications séparées
du temps de Maupassant.

Ce récit de chasse à deux personnages, des cousins et non
des frères comme dans *Le Loup,* raconte une passion égale pour
le sang, la tuerie et les épreuves physiques. Mais le narrateur
montre aussi qu'il prend ses distances avec son cousin Karl,
une « demi-brute », et qu'il a des pensées plus élevées.

Sa méditation lyrique sur l'eau, le marais, les mystères de la
nature, la création du monde, donne à ce conte une dimension
sublime et prépare le lecteur à la conclusion de l'histoire.

Comme il est dit au début, il s'agit bien d'une révélation
de l'*Amour*. La page finale est une des plus belles de Maupassant.

... Je viens de lire dans un fait divers de journal un drame de passion. Il l'a tuée, puis il s'est tué, donc il l'aimait. Qu'importent Il et Elle ? Leur amour seul m'importe ; et il ne m'intéresse point parce qu'il m'attendrit ou parce qu'il m'étonne, ou parce qu'il m'émeut ou parce qu'il me fait songer, mais parce qu'il me rappelle un souvenir de ma jeunesse, un étrange
10 souvenir de chasse où m'est apparu l'Amour comme apparaissaient aux premiers chrétiens des croix au milieu du ciel.

Je suis né avec tous les instincts et les sens de l'homme primitif tempérés par des raisonnements et des émotions de civilisé. J'aime la chasse avec passion ; et la bête saignante, le sang sur les plumes, le sang sur mes mains, me crispent le cœur à le faire défaillir.

Cette année-là, vers la fin de l'automne, les froids arrivèrent brusquement, et je fus appelé par un de mes
20 cousins, Karl de Rauville, pour venir avec lui tuer des canards dans les marais, au lever du jour.

Mon cousin, gaillard de quarante ans, roux, très fort et très barbu, gentilhomme de campagne, demi-brute aimable, d'un caractère gai, doué de cet esprit gaulois qui rend agréable la médiocrité, habitait une sorte de ferme-château dans une vallée large où coulait une rivière. Des bois couvraient les collines de droite et de gauche, vieux bois seigneuriaux où restaient des arbres magnifiques et où l'on trouvait les plus rares gibiers à
30 plume de toute cette partie de la France. On y tuait des aigles quelquefois ; et les oiseaux de passage, ceux qui presque jamais ne viennent en nos pays trop peuplés,

chasseur : qqn. qui chasse, poursuit des animaux pour les tuer

viens de lire : ai juste lu ☐ **fait divers** : anecdote
tué(é) : frappé de mort ☐ **donc** : par conséquent
qu'importe(nt) : il n'est pas important de connaître

attendrit : touche ☐ **étonne** : surprend
émeut < émouvoir, troubler ☐ **songer** : réfléchir
rappelle : remémore ☐ **jeunesse** ≠ vieillesse

chrétien(s), m. < Christ ☐ le Christ est mort sur une **croix**
ciel : firmament
né < naître, venir au monde
raisonnement(s), m. : déduction logique

bête : animal ☐ **saignant(e)** : qui perd son **sang** (liquide rouge)
crispent : contractent ☐ le cœur pompe **le sang** ☐ **défaillir** :
perdre ses forces ☐ **fin** ≠ commencement ☐ **les froids** : la saison
froide ☐ **appelé** : invité

canard(s), m. : oiseau des **marais** (terrain aquatique) ☐ **lever** :
début ☐ **gaillard, m.** : homme robuste ☐ **roux** : à cheveux rouges
barbu < barbe, f. : longs poils sous la face ☐ **campagne, f.** ≠
ville ☐ **doué de** : ayant ☐ **esprit** : tempérament ☐ **gaulois** :
irrespectueux ☐ **habitait** : vivait dans
coulait : passait
bois, m. : petite forêt ☐ **colline(s), f.** : petite montagne
restaient : il y avait encore ☐ la forêt est composée d'**arbres**
trouvait : rencontrait ☐ **gibier(s), m.** : tout animal chassé
à plume : avec un plumage
aigle, m. : le plus grand des **oiseaux** ☐ **oiseau(x), m.** : animal qui
vole ☐ **presque** : à peu près ☐ la France est un **pays**

179

s'arrêtaient presque infailliblement dans ces branchages séculaires comme s'ils eussent connu ou reconnu un petit coin de forêt des anciens temps demeuré là pour leur servir d'abri en leur courte étape nocturne.

Dans la vallée, c'étaient de grands herbages arrosés par des rigoles et séparés par des haies ; puis, plus loin, la rivière, canalisée jusque-là, s'épandait en un vaste marais. Ce marais, la plus admirable région de chasse que j'aie jamais vue, était tout le souci de mon cousin

10 qui l'entretenait comme un parc. À travers l'immense peuple de roseaux qui le couvrait, le faisait vivant, bruissant, houleux, on avait tracé d'étroites avenues où les barques plates, conduites et dirigées avec des perches, passaient, muettes, sur l'eau morte, frôlaient les joncs, faisaient fuir les poissons rapides à travers les herbes et plonger les poules sauvages dont la tête noire et pointue disparaissait brusquement.

J'aime l'eau d'une passion désordonnée : la mer, bien que trop grande, trop remuante, impossible à posséder,

20 les rivières si jolies mais qui passent, qui fuient, qui s'en vont, et les marais surtout où palpite toute l'existence inconnue des bêtes aquatiques. Le marais, c'est un monde entier sur la terre, monde différent, qui a sa vie propre, ses habitants sédentaires, et ses voyageurs de passage, ses voix, ses bruits et son mystère surtout. Rien n'est plus troublant, plus inquiétant, plus effrayant, parfois, qu'un marécage. Pourquoi cette peur qui plane sur ces plaines basses couvertes d'eau ? Sont-ce les vagues rumeurs des roseaux, les étranges feux follets, le

30 silence profond qui les enveloppe dans les nuits calmes, ou bien les brumes bizarres, qui traînent sur les joncs comme des robes de mortes, ou bien encore l'impercepti-

s'arrêtaient : séjournaient

séculaire(s) : plusieurs fois centenaire

coin : endroit peu étendu □ **demeuré :** resté

abri, m. : refuge □ **court(e) :** bref □ **étape :** arrêt, halte

herbage : prairie □ **arrosé(s) :** alimenté en eau

rigole(s), f. : petite tranchée □ **haie(s),** f. : barrière de plantes

jusque-là : du début à ce point □ **s'épandait :** se dispersait

souci : préoccupation

entretenait : maintenait

peuple, m. : multitude □ **roseau(x),** m. : plante d'eau □ **vivant :** animé □ **bruissant :** sonore □ **houleux :** ondulant □ **étroit(es)** ≠ large □ **plat(es) :** sans quille □ **perche(s),** f. : bâton très long

muet(tes) : silencieux □ **frôlaient :** caressaient □ **jonc(s),** m. : plante aquatique □ **fuir :** partir □ **poisson :** animal qui vit dans l'eau □ **poule(s),** f. : femelle du coq □ **sauvage** ≠ domestique □ **pointu(e) :** qui se termine en pointe

désordonné(e) : déréglé

remuant(e) : agité □ **posséder :** retenir

monde : univers

propre : spécifique

bruit(s), m. : sonorité □ **surtout :** principalement

inquiétant : angoissant □ **effrayant :** terrifiant

parfois : à certains moments □ **marécage :** marais □ **planer :** flotter □ **bas(ses)** ≠ élevé, haut

rumeur(s), f. : bruit léger □ **feu(x) follet(s) :** flamme naturelle qui se produit par intermittence dans les marais

brume(s), f. : air opaque □ **traînent :** n'avancent pas

robe(s), f. : vêtement féminin

ble clapotement, si léger, si doux, et plus terrifiant parfois que le canon des hommes ou que le tonnerre du ciel, qui fait ressembler les marais à des pays de rêve, à des pays redoutables, cachant un secret inconnaissable et dangereux?

Non. Autre chose s'en dégage, un autre mystère, plus profond, plus grave, flotte dans les brouillards épais, le mystère même de la création peut-être! Car n'est-ce pas dans l'eau stagnante et fangeuse, dans la lourde humidité
10 des terres mouillées sous la chaleur du soleil, que remua, que vibra, que s'ouvrit au jour le premier germe de vie?

J'arrivai le soir chez mon cousin. Il gelait à fendre les pierres.

Pendant le dîner, dans la grande salle dont les buffets, les murs, le plafond étaient couverts d'oiseaux empaillés, aux ailes étendues, ou perchés sur des branches accrochées par des clous, éperviers, hérons, hiboux, engoulevents, buses, tiercelets, vautours, faucons, mon
20 cousin, pareil lui-même à un étrange animal des pays froids, vêtu d'une jaquette en peau de phoque, me racontait les dispositions qu'il avait prises pour cette nuit même.

Nous devions partir à trois heures et demie du matin, afin d'arriver vers quatre heures et demie au point choisi pour notre affût. On avait construit à cet endroit une hutte avec des morceaux de glace pour nous abriter un peu contre le vent terrible qui précède le jour, ce vent chargé de froid qui déchire la chair comme des scies, la
30 coupe comme des lames, la pique comme des aiguillons empoisonnés, la tord comme des tenailles, et la brûle comme du feu.

clapotement : bruit de l'eau faiblement agitée □ **doux** ≠ fort
tonnerre : fracas des éclairs
de rêve : irréel, fantastique
cachant : dissimulant □ **inconnaissable :** qui ne peut pas être connu
s'en dégage : en émane
grave : sérieux □ **brouillard(s) :** forte brume □ **épais :** dense

fangeuse : sale, mêlée de terre □ **lourd(e)** ≠ léger
mouillé(es) : humide □ **chaleur** < chaud □ **remua :** s'agita

il gelait... : la température était glaciale □ **... à fendre les pierres :** (cliché) au point de fracturer la pierre, les rocs
salle : pièce principale □ **buffet(s), m. :** meuble haut et vaste
plafond : surface supérieure d'une pièce □ **empaillé(e) :** traité par un taxidermiste □ **les ailes** servent à voler □ **étendu(es) :** ouvert
accroché(es) : tenu □ **clou(s), m. :** petit bout de métal □ **éperviers, hérons... faucons :** énumération de huit noms d'oiseaux □ **pareil :** semblable
vêtu : habillé □ **peau, f. :** cuir □ **phoque, m. :** animal marin
racontait : expliquait en détail

afin d' : pour
affût, m. : poste d'observation □ **endroit :** place
hutte avec des morceaux de glace : igloo □ **abriter :** protéger
vent : souffle d'air □ **ce vent... (fait)... comme (font) des...**
déchire : coupe □ **la chair** est sous la peau □ **scie(s), f. :** outil
lame(s), f. : objet coupant □ **pique :** pénètre □ **aiguillon(s) :** pointe □ **tord :** pince □ **tenailles, f. :** outil □ **brûle :** chauffe
comme du feu = comme (font) des flammes (l. 29 à 31)

Mon cousin se frottait les mains : « Je n'ai jamais vu une gelée pareille, disait-il, nous avions douze degrés sous zéro à six heures du soir. »

J'allai me jeter sur mon lit aussitôt après le repas, et je m'endormis à la lueur d'une grande flamme flambant dans ma cheminée.

À trois heures sonnantes on me réveilla. J'endossai, à mon tour, une peau de mouton et je trouvai mon cousin Karl couvert d'une fourrure d'ours. Après avoir avalé
10 chacun deux tasses de café brûlant suivies de deux verres de fine champagne, nous partîmes accompagnés d'un garde et de nos chiens : Plongeon et Pierrot.

Dès les premiers pas dehors, je me sentis glacé jusqu'aux os. C'était une de ces nuits où la terre semble morte de froid. L'air gelé devient résistant, palpable tant il fait mal ; aucun souffle ne l'agite ; il est figé, immobile ; il mord, traverse, dessèche, tue les arbres, les plantes, les insectes, les petits oiseaux eux-mêmes qui tombent des branches sur le sol dur, et deviennent durs aussi, comme
20 lui, sous l'étreinte du froid.

La lune, à son dernier quartier, toute penchée sur le côté, toute pâle, paraissait défaillante au milieu de l'espace, et si faible qu'elle ne pouvait plus s'en aller, qu'elle restait là-haut, saisie aussi, paralysée par la rigueur du ciel. Elle répandait une lumière sèche et triste sur le monde, cette lueur mourante et blafarde qu'elle nous jette chaque mois, à la fin de sa résurrection.

Nous allions, côte à côte, Karl et moi, le dos courbé, les mains dans nos poches et le fusil sous le bras. Nos
30 chaussures enveloppées de laine afin de pouvoir marcher sans glisser sur la rivière gelée ne faisaient aucun bruit ; et je regardais la fumée blanche que faisait l'haleine de

frottait : frictionnait
gelée : froid glacial

jeter : précipiter □ **lit** : couche □ **aussitôt** : juste □ **repas** : dîner
m'endormis : commençai à dormir □ **lueur** : lumière faible □
flambant : brûlant fort
sonnantes : exactement □ **réveilla** : arrêta de dormir □ **endossai** :
me mis □ **peau de mouton** : veste chaude □ **trouvai** : rencontrai
fourrure : peau □ **ours,** m. : gros animal □ **avalé** : vite bu
tasse(s), f. : récipient □ **brûlant** : très chaud
fine champagne, f. : liqueur (de la région de Cognac !)
un garde(-chasse)
pas : mouvement des jambes □ **dehors** : à l'extérieur □ **glacé**
jusqu'aux os : entièrement gelé ; les **os** forment le squelette
tant : tellement
fait mal : fait souffrir □ **figé** : congelé
mord : attaque (avec ses dents) □ **traverse** : pénètre □ **dessèche** :
rend sec □ **tombent** : sont précipités
sol : surface de la terre □ **dur(s)** : rigide
étreinte, f. : embrassade
lune : satellite de la terre □ **penché(e)** : incliné
paraissait : semblait

répandait : distribuait □ **lumière** : clarté □ **sèche** : nue □ **triste** :
lugubre □ **mourant(e)** : près de disparaître □ **blafard(e)** : livide

côte à côte : l'un à côté de l'autre □ **courbé** : penché
poche(s), f. : partie du vêtement □ **fusil** : arme à feu □ **bras** :
membre supérieur □ les **chaussures** couvrent les pieds □ **laine** :
textile naturel qui vient du mouton □ **glisser** : perdre notre
équilibre □ **fumée** : vapeur □ **haleine,** f. : respiration

nos chiens.

Nous fûmes bientôt au bord du marais, et nous nous engageâmes dans une des allées de roseaux secs qui s'avançait à travers cette forêt basse.

Nos coudes, frôlant les longues feuilles en rubans, laissaient derrière nous un léger bruit ; et je me sentis saisi, comme je ne l'avais jamais été, par l'émotion puissante et singulière que font naître en moi les marécages. Il était mort, celui-là, mort de froid, puisque 10 nous marchions dessus, au milieu de son peuple de joncs desséchés.

Tout à coup, au détour d'une des allées, j'aperçus la hutte de glace qu'on avait construite pour nous mettre à l'abri. J'y entrai, et comme nous avions encore près d'une heure à attendre le réveil des oiseaux errants, je me roulai dans ma couverture pour essayer de me réchauffer.

Alors, couché sur le dos, je me mis à regarder la lune déformée, qui avait quatre cornes à travers les parois 20 vaguement transparentes de cette maison polaire.

Mais le froid du marais gelé, le froid de ces murailles, le froid tombé du firmament me pénétra bientôt d'une façon si terrible, que je me mis à tousser.

Mon cousin Karl fut pris d'inquiétude : « Tant pis si nous ne tuons pas grand-chose aujourd'hui, dit-il, je ne veux pas que tu t'enrhumes ; nous allons faire du feu... » Et il donna l'ordre au garde de couper des roseaux.

On en fit un tas au milieu de notre hutte défoncée au sommet pour laisser échapper la fumée ; et lorsque la 30 flamme rouge monta le long des cloisons claires de cristal, elles se mirent à fondre, doucement, à peine, comme si ces pierres de glace avaient sué. Karl, resté

fûmes < être, passé simple □ **bientôt** : en peu de temps □ **bord** : limite □ **nous engageâmes** : entrâmes

s'avançait à travers : traversait

coude(s), m. : milieu du bras □ **feuilles** : feuillage □ **ruban(s)** : long et étroit morceau d'étoffe

puissant(e) : très fort

celui-là : le marécage où ils sont

tout à coup : soudainement □ **au détour** : au tournant □ **aperçus** : remarquai

comme : parce que

attendre : patienter pour □ **réveil** : lever □ **errant(s)** : vagabond

roulai : enveloppai □ **couverture** : grande pièce de laine qu'on met sur un lit □ **réchauffer** : redonner chaud

couché : allongé □ **dos** : arrière du corps

corne(s), f. : partie en pointe □ **paroi(s), f.** : mur

muraille(s), f. : mur épais

façon : manière □ **tousser** < toux, f. (symptôme d'une maladie pulmonaire) □ **inquiétude, f.** : anxiété □ **tant pis** : c'est dommage, mais pas grave □ **pas grand-chose** : rien d'intéressant

t'enrhumes : prennes un coup de froid (l. 23)

tas : pile □ **défoncé(e)** : brisé (en poussant)

échapper : partir

monta ≠ descendit □ **cloison(s)** : paroi, mur

fondre : se liquéfier

sué : transpiré

dehors, me cria : « Viens donc voir ! » Je sortis et je restai éperdu d'étonnement. Notre cabane, en forme de cône, avait l'air d'un monstrueux diamant au cœur de feu poussé soudain sur l'eau gelée du marais. Et dedans, on voyait deux formes fantastiques, celles de nos chiens qui se chauffaient.

Mais un cri bizarre, un cri perdu, un cri errant, passa sur nos têtes. La lueur de notre foyer réveillait les oiseaux sauvages.

10   Rien ne m'émeut comme cette première clameur de vie qu'on ne voit point et qui court dans l'air sombre, si vite, si loin, avant qu'apparaisse à l'horizon la première clarté des jours d'hiver. Il me semble à cette heure glaciale de l'aube, que ce cri fuyant emporté par les plumes d'une bête est un soupir de l'âme du monde !

Karl disait : « Éteignez le feu. Voici l'aurore. »

Le ciel en effet commençait à pâlir, et les bandes de canards traînaient de longues taches rapides, vite effacées, sur le firmament.

20   Une lueur éclata dans la nuit, Karl venait de tirer ; et les deux chiens s'élancèrent.

Alors, de minute en minute, tantôt lui et tantôt moi, nous ajustions vivement dès qu'apparaissait au-dessus des roseaux l'ombre d'une tribu volante. Et Pierrot et Plongeon, essoufflés et joyeux, nous rapportaient des bêtes sanglantes dont l'œil quelquefois nous regardait encore.

Le jour était levé, un jour clair et bleu ; le soleil apparaissait au fond de la vallée et nous songions à
30   repartir, quand deux oiseaux, le col droit et les ailes tendues, glissèrent brusquement sur nos têtes. Je tirai. Un d'eux tomba presque à mes pieds. C'était une

éperdu : bouleversé □ **cabane,** f. : hutte
avait l'air d' : ressemblait à □ **au :** avec un □ **cœur :** centre
(qui avait) **poussé :** surgi □ **dedans** ≠ dehors

perdu : désespéré
foyer, m. : feu
sauvage(s) ≠ domestique
émeut < émouvoir, impressionner
vie, f. ≠ mort □ **court** < courir, se déplacer vite

clarté : lumière □ **hiver,** m. : saison froide
aube, f. : début du jour □ **fuyant :** s'éloignant vite □ **emporté :**
porté □ **soupir :** respiration expressive □ **âme,** f. : centre de la
vie spirituelle □ **éteignez** < éteindre, arrêter □ **aurore,** f. :
moment avant le lever du soleil □ **pâlir :** devenir pâle
traînaient : déplaçaient avec eux □ **tache(s) :** marque de couleur

éclata : apparut brusquement □ **tirer :** faire partir un coup de
fusil □ **s'élancèrent :** partirent à toute vitesse
tantôt... : parfois
ajustions notre tir □ **vivement :** promptement
ombre, f. : trace sombre □ **tribu :** population □ **volant(e) :** qui se
déplace dans l'air □ **essoufflé(s) :** respirant vite
sanglant(es) : couvert de sang □ **quelquefois :** parfois

songions : étions disposés
col = cou ; partie entre la tête et le corps
tendu(es) : ouvert et fixe □ **glissèrent :** passèrent sans bruit ni
mouvement des ailes

sarcelle au ventre d'argent. Alors, dans l'espace au-dessus de moi, une voix, une voix d'oiseau cria. Ce fut une plainte courte, répétée, déchirante; et la bête, la petite bête épargnée se mit à tourner dans le bleu du ciel au-dessus de nous en regardant sa compagne morte que je tenais entre mes mains.

Karl, à genoux, le fusil à l'épaule, l'œil ardent, la guettait, attendant qu'elle fût assez proche.

« Tu as tué la femelle, dit-il, le mâle ne s'en ira 10 pas. »

Certes, il ne s'en allait point; il tournoyait toujours, et pleurait autour de nous. Jamais gémissement de souffrance ne me déchira le cœur comme l'appel désolé, comme le reproche lamentable de ce pauvre animal perdu dans l'espace.

Parfois, il s'enfuyait sous la menace du fusil qui suivait son vol; il semblait prêt à continuer sa route, tout seul à travers le ciel. Mais ne s'y pouvant décider il revenait bientôt pour chercher sa femelle.

20 « Laisse-la par terre, me dit Karl, il approchera tout à l'heure. »

Il approchait, en effet, insouciant du danger, affolé par son amour de bête pour l'autre bête que j'avais tuée.

Karl tira; ce fut comme si on avait coupé la corde qui tenait suspendu l'oiseau. Je vis une chose noire qui tombait; j'entendis dans les roseaux le bruit d'une chute. Et Pierrot me le rapporta.

Je les mis, froids déjà, dans le même carnier... et je 30 repartis, ce jour-là, pour Paris.

. . . .

sarcelle : canard sauvage □ **ventre :** dessous du corps □
d'argent : couleur de l'argent (métal précieux blanc)
plainte : lamentation □ **déchirant(e) :** brisant (le cœur)
épargné(e) : qui n'a pas été massacré
compagne : femme qui partage la vie de qqn.

à genoux : les genoux sur le sol □ **épaule,** f. : le haut du bras
guettait : observait □ **attendant qu' :** patientant jusqu'à ce qu'
ira : futur du verbe aller

tournoyait : tournait beaucoup □ **toujours :** continuellement
pleurait : se lamentait □ **gémissement,** m. : son plaintif prolongé
appel : demande de venir le rejoindre

perdu : abandonné
s'enfuyait : partait vite au loin
suivait : prenait la même direction que □ **vol :** déplacement dans
l'air
chercher : venir prendre
tout à l'heure : dans peu de temps

insouciant du : indifférent au □ **affolé :** rendu fou

chute : descente brusque
le rapporta : alla le prendre et l'apporta
mis : (passé simple de mettre) plaçai □ **carnier :** sac pour le
gibier □ **repartis... pour :** rentrai... à

191

Grammaire au fil des nouvelles

Remplissez les blancs avec le mot ou la forme grammaticale qui se trouve dans le texte (le premier chiffre renvoie à la page, le second à la ligne) :

Ce fait divers me rappelle un étrange souvenir de chasse ... m'est apparu l'Amour (pron. rel., 178 - 9).

La bête saignante, le sang sur mes mains, ... crispent le cœur à le faire défaillir (pron. pers., 178 - 16).

Mon cousin, gaillard de quarante ans, ..., très fort et très barbu, habitait une sorte de ferme-château (= à cheveux rouges, 178 - 22).

Les oiseaux de passage, ... qui presque jamais ne viennent en nos pays, s'arrêtaient dans ces branchages (pron. démonst., 178 - 31).

Ce marais, la plus admirable région de chasse que j'... jamais ..., était tout le souci de mon cousin (voir, 180 - 8).

Pourquoi cette peur qui plane ? Sont-... les vagues rumeurs des roseaux, les étranges feux follets (pron. démonst., 180 - 27).

J'arrivai le soir ... mon cousin (préposition, = à la maison de, 182 - 13).

Il gelait ... fendre les pierres (préposition, 182 - 13).

Après ... chacun deux tasses de café brûlant, nous partîmes (avaler, 184 - 9).

Je regardais la fumée blanche ... faisait l'haleine de nos chiens (pron. rel., 184 - 32).

Il donna l'ordre de couper des roseaux. On ... fit un tas au milieu de notre hutte (= de roseaux, 186 - 27).

On voyait deux formes fantastiques, ... de nos chiens qui se chauffaient (pron. démonst., 188 - 5).

Rien ne m'émeut comme cette clameur de vie qui court dans l'air avant qu'... à l'horizon la première clarté (apparaître, 188 - 10).

Les chiens rapportaient des bêtes sanglantes ... l'œil quelquefois nous regardait encore (pron. rel., 188 - 25).

Karl guettait la bête, attendant qu'elle ... assez proche (être, 190 - 8).

Ils approchait affolé par son amour pour l'autre bête que j'... (tuer, 190 - 22).

192

Vocabulaire

The following are over 2,300 words found in the stories with their meaning in the context. Certain words will not be found in this list, namely:

— Items of basic vocabulary, e.g. *père, mère... lundi, mardi... un, deux, trois...*

— Words common to both English and French, e.g. *combat, galoper, incessant.* (Words easily confused, in particular the well-known "faux-amis", are, of course, included in the list.)

— Words whose meaning can be readily deduced from closely related words, e.g. *baiser, m.,* from *baiser* to kiss, or *froid,* m. from *froid,* cold...

— Rare expressions or words thoroughly explained in the notes accompanying the text, e.g. *la métairie, les tirés aux lapins...*

— A —

abaisser to lower

abasourdi stunned

abattement, m. despondency

abattoir, m. slaughter-house

abattre to slaughter

abattu worn-out

abbé, m. priest

aboiement, m. barking

(aux) abois at bay

(d') abord at first

abordage, m. collision, boarding

aborder to land

abordeur colliding (ship)

abords, m. pl. approaches

aboutir à to lead to

aboyer to bark

abri, m. shelter

abriter to shelter

abruti dazed

accomplir to carry out, commit

(s') accomplir to take place

(d') accord agreed, O.K.

accourir to come running

accrocher to hang up

(centre d') accueil reception centre

accueillir to welcome

acculer to bring to bay

acharné implacable, desperate

acharnement, m. relentlessness

acheter to buy

acier, m. steel

acquérir to acquire

âcre acrid

actionner to set in motion

adjuger to auction

admettre to admit (as)

affaiblir to weaken

s'affaisser to sink down

affamé starving

affolement, m. distraction, panic

affoler to disturb greatly, madden

affreux frightful

affronter to face

affût, m. hiding-place

à l'affût de stalking

afin de in order to

agir to act

il s'agit de it is about, a question of

agité shaken

aïeul, m. ancestor

aigle, m. eagle

aigre sour, harsh

aigu, aiguë sharp, bitter

(voix) aiguë high-pitched

aiguillon, m. goad

aile, f. wing

(d') ailleurs besides

aimer to love

aîné elder, eldest

ainsi thus, so

aisance, f. comfort

à son aise at ease

ajouter to add

alangui languid

aliment, alimentation food

alimenter to feed, supply with

allée, f. avenue

allégresse, f. jubilation

aller, il va, il ira... to go, he goes, he will go...

s'en aller to go away

allonger to stretch out

s'allonger to lie down

allumé excited

allumer to light

s'allumer to show white

allure, f. pace; manner

alors, so, then, (at) that time

alors que when, whereas

amarre, f. mooring

amarrer to moor

(marchand) ambulant pedlar

âme, f. soul

amener to bring

amène-toi! come along!

ameuter to stir up

ami, m., amie, f. friend

amitié, f. friendship

amour, m. love

amoureux, m. lover

an, m. year

ancêtre, m. ancestor

âne, m. donkey

anéanti exhausted

à l'anglaise English-style

angoissé anxious

ankylosé stiff

apaisement, m. pacification

apaiser to calm

apercevoir to catch sight of

s'apercevoir de to notice

(s') aplatir to fall flat

aplomb, m. balance

apparaître to appear

appareil, m. machine
appartenir à to belong to
appel, m. call, appeal
appeler to call
s'appeler to be called
appointements, m. pl. salary
apporter to bring
apprenti, m. apprentice
(s') approcher to draw near
appui, m. support
appuyer to lean, press
âpre ruthless
après after, afterwards
après-midi, m., f. afternoon
âpreté, f. harshness
arbre, m. tree
arbuste, m. bush
argent, m. silver; money
argot, m. slang
armoire, f. cupboard
arracher to tear out
arrêt, m. stop
s'arrêter to stop
arrière, m. rear, stern
arrière hind, back
arrière-grand-père, m. great-grandfather
arriver to arrive, happen
en arriver à to come to (+ verb)
s'arrondir to curve
arroser to water, spatter
asseoir (asseyant, assis) to seat
s'asseoir to sit down
assouvir to satisfy
assouvissement, m. indulgence
astuce, f. skill
astucieux clever

s'attacher to become attached to
attardé behind the time
attardé belated
atteindre (atteignant, atteint) to reach
atteint de affected by
attendre to wait for
attendri fond, full of pity
attendrir to touch, move
attendu considering
attente, f. expectation
atterré utterly dismayed
attirer to attract
attrape, f. trap
aube, f. daybreak
aubépine, f. hawthorn
aucun any, none
au-dessus above
augure, m. omen
aujourd'hui to-day
(faire l')aumône to give alms
auparavant previously
auprès de near
aurore, f. dawn
aussi also, too
aussitôt que as soon as
autant... que as much... as
auteur, m. author; perpetrator
autour around
autre other
autrefois formerly
avaler to swallow
avant before
en avant forward
avare miserly
avec with
avenir, m. future
averse, f. down-pour
avertir to warn
aviron, m. oar

avis, m. opinion
avocat, m. barrister
avoine, f. oats
avoir to have
avoir, m. possessions
avouer to confess

— B —

bagage, m. piece of luggage
baguette, f. switch, stick
se baigner to bathe
baiser to kiss
baisser to lower
balai, m. broom
balancement, m. swinging
balbutier to stammer
balle, f. ball, bullet
ballottement, m. tossing, swaying
bande, f. band, strip
banlieue, f. suburb
barbe, f. beard
barre, f. tiller
bas, m. lower part
bas, basse low
bataille, f. battle
bateau, m. boat
bâtiment, m. building
bâtiment, m. (bateau) vessel
bâton, m. stick
battant heaving
battement, m. (heart)-beat
battre to beat, strike
se battre to fight
baudet, m. (he-) ass
bavarder to chatter
bave, f. dribble, slaver
baveux slobbery
beau (bel), belle beautiful

avoir beau (dire) (to say) in vain
beaucoup very much
bec, m. beak
bécasse, f. woodcock
bedaine, f. paunch
bégayer to stutter
belle-fille, f. daughter-in-law
bénir to bless
bercer to rock
berge, f. bank
berger, m. shepherd
besoin, m. need
bétail, m. cattle
bête, f. beast
bêtement foolishly
bêtise, f. stupidity
beugler to bellow
beurre, m. butter
bibliothèque, f. library
biche, f. doe (female deer)
bidet, m. nag
bien, m. wealth
bien-dire, m. fine speaking
bien que although
bientôt soon
bienveillant kindly
bienvenu welcome
billet, m. ticket
biner to hoe
blafard wan
blanc, blanche white
blancheur, f. whiteness
blé, m. wheat
blesser to wound
blessure, f. wound
blouse, f. smock
blotti crouching
bœuf, m. ox
boire (buvant, bu) to drink
bois, m. wood
boiteux lame

bondir to leap (up)
bonheur, m. happiness
bonne, f. maid
bord, m. edge
bord, m. board, side (of ship)
à bord aboard
bordage wooden side of a ship
bordée, f. volley
border to border, edge
bordure, f. border
borne, f. milestone
botte, f. boot
botte, f. truss, bundle
bouche, f. mouth
bouchée, f. mouthful
boucherie, f. butcher's shop
bouclé curly
boue, f. mud
boueux muddy
bouffant baggy
bouger to move
bouillon, m. gush
bouillon gras meat broth
boule, f. ball
bourdonner to buzz
bourgeonneux spotty
bourreau, m. tormentor
bourrer to pummel
bourrer to fill (a pipe)
bourri(cot), m. small donkey
bourrique, f. donkey
bousculade, f. jostling
bout, m. end, tip
bouteille, f. bottle
boutique, f. shop
boyau, m. gut
braconnier, m. poacher
braire to bray
branchage, m. branches

bras, m. arm
brave (avant le nom) good-natured
break, m. carriage
bref, brève brief
bride, f. bridle
brièvement briefly
brin, m. blade
brise, f. breeze
briser to break
brosse, f. brush
brouillard, m. fog
broussaille, f. brushwood
brouter to browse, graze
broyer to crush, grind
bruissant murmuring
bruit, m. noise
brûler to burn
brume, f. mist
brun, brune, dark-haired
brusque sudden
bruyamment noisily
buée, f. vapour
buffet, m. sideboard, dresser
buisson, m. bush
bulle, f. bubble
buse, f. buzzard

— C —

ça that, it
çà et là here and there
cabaret, m. tavern
cabaretier, m. innkeeper
se cabrer to rear
cacher to hide
cachette, f. hiding-place
cadavre, m. corpse
cadet, m. younger brother
cadre, m. frame, setting
caillou, m. pebble

caisse, f. packing(-case)
calcaire chalky
cale, f. hold
calèche, f. open carriage
à califourchon astride
campagnard, m. country-
man
campagne, f. country
canard, m. duck
caniche, m. poodle
canon, m. (de fusil) barrel
canot, m. yawl, small boat
canotage, m. rowing
canotier, m. oarsman
cantonnier, m. roadmender
car for
cargaison, f. cargo
carnier, m. game-bag
carrière, f. quarry
cas, m. case
casquette, f. cap; top
casser to break
cauchemar, m. nightmare
causer avec to talk with
causer de to talk of
cavalier, m. horseman
cave, f. cellar
céder to yield, part with
cela that
célèbre famous
célibataire, m. bachelor
cependant yet, nevertheless
cercle, m. circle
cerf, m. stag
certainement, certes surely
cerveau, m. brain
cervelle, f. brain
sans cesse incessantly
cesser to cease
ceux (qui) those (who)
chacun each one
chagrin, m. sorrow, grief
chair, f. flesh

chaise, f. chair
chaleur, f. heat
chamarré adorned
chambre, f. bedroom
champ, m. field
(avoir du) champ to have
plenty of room
chance, f. luck
chanvre, m. hemp
chapeau, m. hat
chaque each
charbon, m. coal
charge, f. load
chargé de responsible for
se charger de to attend to
charogne, f. carrion
charogne! you cow!
chasse, f. hunting
chasser to hunt
chasseur, m. hunter
château, m. castle
châtelaine, f. woman
owner of a castle
chaud hot
chauffer to heat
chaume, m. thatch
chaussée, f. roadway
chaussure, f. shoe
chauve bald
chef-d'œuvre, m. master-
piece
chemin, m. path
cheminée, f. fireplace
chemise, f. shirt
chènevis, m. hemp-seed
cher, chère dear
chercher to look for,
search for
chercher à to endeavour to
chéri, m. darling
cheval, m. horse
cheveu(x), m. hair
chevreuil, m. roebuck

chez at the house of
chien, chienne dog, bitch
choc, m. shock, knock
choir to fall
choisir to choose
chose, f. thing
chute, f. fall
ciel, m. sky
cil, m. eye-lash
cingler to lash at
citer to quote
clair clear, light
clair de lune moonlight
clapotement, clapotis, m. lapping (of water)
clef, f. key
client, m. customer
cligner de l'œil to wink
cloison, f. partition
cloîtré cloistered, enclosed
clôturer to enclose, fence in
clou, m. nail
cocher, m. coachman, driver
cocotte, f. tart
(ma) cocotte ducky, deary
cœur, m. heart
coffre, m. chest, boot
cogner to hit
cohue, f. throng, crowd
coiffer to cap, cover
coiffure, f. head-dress
coin, m. corner
colère, f. anger
collégien, m. schoolboy
coller to stick
colline, f. hill
coloris, m. colouring
combattre to fight
comme as, like
comment how
commerçant, m. tradesman

commerce, m. trade, business
commis, m. clerk
commune, f. village, parish
compagne, f. companion, wife
compère, m. comrade, crony
complice, m. accomplice
se comporter to behave
comprendre to understand
(se rendre) compte to realize
compter to count
comptoir, m. counter
conclure to conclude
conducteur, m. driver
conduire to drive
se conduire to behave
confiance, f. confidence
confier to entrust
confondre to mingle, blend
congé, m. leave, holiday
connaissance, f. consciousness
connaissance, f. knowledge, acquaintance
connaître (connaissant, connu) to know
conseil, m. piece of advice
consommateur, m. consumer
consommation, f. consumption, drinking
constater to see for oneself
consterné dismayed
conte, m. story, tale
conteur, m. story-teller
contre against
contrée, f. region
convaincre to convince
convenir de to agree to
convier to invite

convive, m., f. guest
coque, f. hull
cor, m. (hunting-)horn
corbeau, m. crow
corbeille, f. round flower-bed
corde, f. rope, cord; chord
corne, f. horn
corps, m. body
côte, f. rib
côte, f. slope (of hill)
côte à côte side by side
côté, m. side
à côté nearby, next door
coteau, m. small hill
cou, m. neck
couche, f. bed
coucher du soleil, m. sunset
se coucher to lie down, spend the night
coucher sur to lay
coude, m. elbow
coudre (cousant, cousu) to sew
couler to flow
se la couler douce to take life easy
couloir, m. passage
coup, m. stroke (normal action of sth.)
coup de balai a sweeping
coup de fusil a shot
(d'un, tout à) coup suddenly
couper to cut
coupure, f. cutting
cour, f. courtyard
couramment fluently
courant, m. current, stream
courber to curve
se courber to bend over
courir to run

cours, m. lecture
cours d'eau stream
course, f. run, walk, race
course, f. errand
coursier, m. steed
court short
coût, m. cost
couteau, m. knife
coutelas, m. cutlass
coûter to cost
coutume, f. habit, custom
couture, f. sewing
couvercle, m. lid
couverture, f. blanket
couvrir (couvrant, couvert) to cover
cracher to spit
craindre (craignant, craint) to fear
crainte, f. fear
se cramponner à to clutch
crâne, m. skull
crapaud, m. toad
crasse, f. filth
cravache, f. horsewhip
créer to create
crête, f. crest
creuser to dig
creux hollow
crever to crash through
crever (argot) to die
cribler to riddle
crier to cry out
crinière, f. mane
crisper to contract, contort
crochu hooked
croire (croyant, cru) to believe
croisière, f. cruise
croix, f. cross
cru raw
cuir, m. leather
cuir, m. slip of the tongue

cuirassé iron-cased, hardened
cuire (cuisant, cuit) to cook
cuisine, f. kitchen
cuisinière, f. woman-cook
cuisse, f. thigh
culbute, f. somersault
culbuter to knock over
cultivateur, m. farmer
curé, m. parish priest
curieux, m. onlooker

— D —

dada, m. gee-gee
dalle, f. slab
davantage more
se débarrasser de to get rid of
débarquer to land
se débattre to struggle
débiter (fam.) to utter
debout standing
début, m. beginning
débuter to begin
décédé deceased
décharger to unload
déchirant excruciating
déchirer to tear (off)
déchoir to lose one's standing
se décider to make up one's mind
découvrir to discover, uncover
décrire to describe
déçu disappointed
dédaigner to disdain
(au-)dedans inside
défaillance, f. weakness
défaillir to faint

défaire to undo
se défaire de to get rid of
défaite, f. defeat
défi, m. challenge
défoncer to smash open
dégager to exhale
se dégager de to emerge from
dégoter (fam.) to get hold of, bag
dégourdi wide-awake, sharp
dégoûter to disgust
dehors outside
déjeuner to have lunch
déjouer to baffle
délire, m. frenzy
délivré relieved
demain to-morrow
demander to ask
démangeaison, f. an itching to, longing to
démence, f. insanity
démesurément excessively
demeure, f. dwelling
demeurer to dwell, stay
demi half
à demi-mot with few words
(faire) demi-tour to turn back
dénommé named
dent, f. tooth
dépasser to go beyond, exceed
aux dépens de at the expense of
dépense, f. expense
dépérir to waste away
en dépit de in spite of
déplacement, m. short journey

déplacer to move, change the place of

se déplacer to move about

déposer to place, put down

depuis since, for

dérangement, m. disturbance

déranger to disturb

déréglé immoderate

(à la) dérive adrift

dernier last

dernièrement lately

se dérouler to unwind

derrière behind

derrière, m. bottom

dès as early as

dès que as soon as

désarçonner to unseat

désespoir, m. despair

désœuvré, m. idler

désolé sorry, tormented

dessécher to dry

desservir to be the parish priest

dessous, m. underside

en dessous underneath

dessus, m. top

au-dessus above

destin, m., destinée, f. destiny

détaler to scamper away

détour, m. turning

détraquer to break down

détruire to destroy

dévaler to rush down

devancier, m. predecessor

devant, m. front

devant before

devenir to become

dévergondé shameless

se dévêtir to undress

deviner to guess

devoir (devant, dû) to have to, owe

dévorer to devour

dévouement, m. attachment

diable, m. devil

Dieu, le bon Dieu God

difficile difficult

diligence, f. stage-coach

diminuer to diminish

dîner, m. dinner(-party)

dire (disant, dit) to say

diriger to direct

discuter to discuss

disgrâce, f. unattractiveness

disparaître (disparu) to disappear

disparate, f. dissimilarity

se dissiper to vanish, lift

doigt, m. finger

un doigt de a tiny amount of, a finger of

don, m. gift

donc therefore, so

donner to give

dormir to sleep

dos, m. back

douceurs, f. pl. gentle words

doué gifted

douleur, f. pain

doute, m. doubt

drap, m. sheet

dresser to raise

dresser (un animal) to train

se dresser to rise

drogue, f. drug

droit, m. right; law

à droite to the right

dru thick

dur hard

durcir to harden

durée, f. length of time
durer to last
duretés, f. pl. harsh, offensive words
duvet, m. down, fluff

— E —

eau, f. water
eau-de-vie, f. brandy
entre deux eaux under water
ébranler to shake
écarté apart
s'écarter de to go off
échantillon, m. sample
s'échapper to escape
échelle, f. ladder
échine, f. spine
échouer to run aground, fail
éclabousser to splash
éclairer to light
éclater to burst (forth)
éclosion, f. birth
école, f. school
écorce, f. bark
écouter to listen to
écraser to squash, crush
s'écraser to fall to the ground
s'écrier to cry out
écrire (écrivant, écrit) to write
écriture, f. writing
écrivain, m. writer
s'écrouler to collapse
écru raw (silk)
écueil, m. reef, obstacle
écume, f. foam
écumeur, m. scavenger
écurie, f. stable

effaré scared
en effet indeed, really
s'efforcer to strive
effrayant, effroyable frightful
effrayer to frighten
effréné unrestrained
c'est égal it's all the same
église, f. church
égout, m. sewer
élan, m. impulse
s'élancer to rush, spring
élevage, m. breeding, rearing
élève, m., f. pupil
élevé upper
élever to bring up
s'élever to rise
éloigné distant
éloignement, m. distance
s'éloigner to move off
s'embarrasser de to burden oneself with
embrassade, f. hug
embrasser to kiss
embusqué under cover
émerveillé amazed
émettre to issue, utter
emmener to lead away
s'émoucher to whisk away the flies
émouvoir (ému) to move
empaillé stuffed
empanaché adorned
s'emparer de to take hold of
empêcher to prevent
emplacement, m. site
emploi, m. employment, job
employé, m. employee
empocher to pocket
empoigner to grasp

203

emporté fiery
emporter to take away
s'emporter to bolt (horse)
se faire emporter to be carried off
l'emporter sur to surpass
empourpré tinged with purple
empressement, m. alacrity
émule, m. one who emulates
s'en aller to go away
encolure, f. neck (of a horse)
s'encombrer de to hamper oneself with
endormi sleeping, unresponsive
s'endormir to fall asleep
endosser to put on
endroit, m. place
enfance, f. childhood
enfer, m. hell
enfermer to enclose
enfin at last
enflammé incensed
enflé swollen
s'enfoncer to go (deep) into
enfouir to bury in the ground
enfourcher to mount
s'enfuir to flee
s'engager à to undertake to
s'engager dans to go into
engoulevent, m. fern-owl
engraisser to become corpulent
engueulade, f. telling-off
s'enhardir to grow bold
enjambée, f. stride

enjôler to get round sb., wheedle
enlever to take off, lift
s'enlever to come off, rise
ennui, m. trouble
ennuyer to bore
s'enquérir to inquire after
s'enrhumer to catch a cold
ensemble together
ensuite afterwards
entendre to hear
s'entendre to get on with one another
entier, entière whole
entourer to surround
entraîner to hurry along; interest
entraîner à to induce
entre between
entrecroiser to intermingle
entrée, f. entrance
entrer to come, go in
entretenir to maintain, keep up
envahir to invade
environ about
environnant surrounding
environs, m. pl. surroundings
s'envoler to take flight, vanish
envoyer to send
épagneul, m. spaniel
épais, épaisse thick
s'épaissir to grow thick
s'épandre to spread about
s'épanouir to blossom out
épargner to spare
épaule, f. shoulder
éperdu desperate
éperdument madly
éperon, m. spur
épervier, m. sparrow-hawk

épervier, m. sweep-net
épicier, m. grocer
épier to watch, spy upon
époque, f. period
épouser to marry
épouvantable dreadful
épouvante, f. terror
s'épouvanter to take fright
éprouver to test; to expe-
    rience
s'épuiser to become
    exhausted
équipage, m. crew
errer to wander
erreur, f. mistake
escalier, m. staircase
esclave, m., f. slave
escrime, f. fencing
espace, m. space
espèce, f. kind
espérance, f. hope
espoir, m. hope
esprit, m. spirit, mind
essayer to try
essoufflé breathless
essuyer to wipe
étable, f. cattle-house
étage, m. floor, storey
étape, f. halting-place
état, m. state
été, m. summer
s'étendre to lie down;
    stretch
éternuer to sneeze
étinceler to sparkle
étirer to stretch
étoffe, f. cloth
étoile, f. star
étonner to astonish
s'étonner de to be aston-
    ished at
étrange strange

étranger à unacquainted
    with
étrangler to strangle
être (étant, été) to be
être, m. being
étreindre (étreignant,
    étreint) to clasp
étreinte, f. embrace
étrier, m. stirrup
étriller to curry
étroit narrow
étude, f. study
s'évanouir to faint
éveil, m. warning, alarm
(être en) éveil to be on the
    watch
événement, m. event
évêque, m. bishop
éviter to avoid
exiger to demand
explication, f. explanation
expliquer to explain
exprimer to express

— F —

en face de opposite
fâché displeased
fâcheux troublesome
facile easy
facteur, m. postman
faible weak
faïence, f. earthen-ware,
    crockery
faillir (+ infinitif): to very
    nearly (+ verb)
faim, f. hunger
fainéanter to be idle
fait, m. fact, deed
fait divers news item
faîte, m. top

205

falbalas, m. pl. furbelow, trimming
falloir (il faut, fallu) to be obliged to (must)
familier familiar, homely
fangeux miry
faucon, m. hawk, falcon
se faufiler to sneak in
faute, f. mistake
faute de for want of
fauteuil, m. armchair
fauve musky
faux, fausse false, wrong
feindre (feignant, feint) to pretend
fendre to split
fenêtre, f. window
ferme, f. farm
fermer to shut
fermier, m. farmer
fermière, f. farmer's wife
sous la férule de under the authority of
fêter qqn. to make a fuss of
feu, m. fire
faire feu to fire
feu follet will-o'-the-wisp
feuillage, m. foliage
feuille, f. leaf
feuilleton, m. regular literary contribution
ficher (fichu) to throw out
fidèle faithful
fier, fière proud
figé stiff
figure, f. face
fil de fer, m. wire
(au) fil de l'eau with the stream
filer to speed
filet, m. net
filou, m. rogue

fin, f. end
fin, fine slender; shrewd
fine, f. liqueur
finir to finish
fixer to stare
flairer to scent
flamber to blaze
flâner to stroll
flanquer to chuck, throw
flasque limp
flatter to stroke
fléchir to bend
fleur, f. flower
fleuri blooming
fleuve, m. river
flot, m. surge, flood
flotter to float
foi, f. faith
ma foi ! to be sure!
foin, m. hay
foire, f. fair, market
fois, f. time(s)
folie, f. madness
fond, m. bottom
fonder to found
fondre to melt
force, f. strength
à force de by dint of
fort, forte strong
fort very, highly
fortuné wealthy
fossé, m. ditch
fou, folle mad
fouet, m. whip
fouiller to search
foule, f. crowd
fourmiller de to teem with
fourneau, m. stove
fourrage, m. fodder
fourré, m. thicket
fourrure, f. fur
fracas, m. din
frais, m. pl. expenses

frais, fraîche fresh
frapper to strike
freluquet, m. whipper-snapper
frémir to shiver, tremble
frémissant quivering
frénésie, f. frenzy
fret, m. freight
fricot, m. (fam.) stew
fricotier, m. low eating-house owner
frisé curly
frisson, m. shudder
froid cold
frôler to brush against
fromage, m. cheese
front, m. forehead
se frotter to rub
fuir to flee
fumée, f. smoke, steam
fumer to smoke
fumier, m. manure
fureur, f. fury
fusil, m. rifle
fût, m. cask
futaie, f. wood (of high trees)

— G —

gâchette, f. trigger
gages, m. pl. wages
gagner to earn, win
gagner (un lieu) to reach
gaillard, m. hearty fellow
galette, f. sort of round biscuit
gambader to frisk (about)
gamin, m. youngster
gant, m. glove
garçon, m. boy
garde, m. keeper

chien de garde watch-dog
prendre garde à to pay attention to
garder to keep, watch
gargote, f. cook-shop
gargotier, m. cook-shop owner
gars, m. lad
gaspiller to waste
gâteau, m. cake
(esprit) gaulois bawdy sense of humour
geindre (geignant, geint) to groan
gelée, f. frost
geler to freeze
gémir to moan
gémissement, m. moaning
gendarme, m. soldier, policeman
gêne, f. pecuniary difficulty
genou, m. knee
genre, m. type
gens, m. pl. people
gentil, gentille kind, nice
gentilhomme, m. gentleman
geste, m. gesture
gibier, m. game
gifle, f. slap
glace, f. ice
glisser to slide, slip
glousser to chuckle
gonflé distended
gorge, f. throat
gosier, m. gullet
goujat, m. farm-hand
goutte, f. drop
grâce à thanks to
grandir to grow big
grange, f. barn
gras, grasse fat

se gratter to scratch
grave serious
gredin, m. rascal
grelot, m. little bell
grenier, m. loft
griffe, f. claw
grimper to climb
gris grey
gris tipsy
grognement, m. grunt
grogner to grunt
gros, grosse big, fat
grosseur, f. fatness
grossier coarse
grouillant wriggling
(ne...) guère scarcely
guérison, f. recovery
guetter to watch keenly
gueule, f. mouth (of animal)
gueuse, f. hussy

— H —

habileté, f. skill
habiller to dress
habitant, m. inhabitant
habiter to inhabit, live (in)
habitude, f. habit
haie, f. hedge
haie vive quickset hedge
haine, f. hatred
haïr (haïssant, haï) to hate
(chemin de) halage towing(-path)
haleine, f. breath
haleter to pant
hallali, m. mort (stag-hunting), death cry
halte, f. resting-place
hanter to haunt
harceler to harass

harengère, f. fish-wife
harnais, m. harness
hâte, f. haste
se hausser to raise oneself
haut high
haut, m. top
hauteur, f. height
hennir to neigh
herbage, m. pasture
herbe, f. grass
hérissé bristling
heure, f. hour
tout à l'heure presently
heureux happy
heurter to strike
hibou, m. owl
histoire, f. story
hiver, m. winter
homard, m. lobster
honteux shameful
horion, m. blow, knock
hors de out of, outside
houleux rolling
humeur, f. mood
hurlement, m. yell
hurler to yell
hutte, f. hut

— I —

ici here
île, f. island
immonde foul
impériale, f. roof of a coach
n'importe qui anyone
qu'importe? what does it matter?
impôt, m. tax
impudique lewd
impuissance, f. helplessness
impuissant powerless

208

inassouvissable insatiable, unquenchable
s'incliner to bend (over)
inconnaissable unknowable
inconnu unknown
indigné indignant
individu, m. individual
indubitablement undoubtedly
infailliblement unfailingly
infini infinite
inguérissable incurable
injure, f. insult
injuste unfair
inquiet worried
inquiétant alarming
s'inquiéter to worry
inquiétude, f. anxiety, misgivings
insaisissable elusive
insensé mad, senseless
insensible unfeeling, indifferent
insouciant de unconcerned by
instruire to inform
interdire to forbid
interdit taken aback
interroger to question
introduire to introduce
inutile useless
inutilisable not in working order
inverse contrary, opposite
involontaire unintentional
invraisemblable hard to believe
isolement, m. loneliness
ivresse, f. drunkenness; ecstasy
ivrogne, m. drunkard

— J —

jadis formerly, in the past
jaillir to shoot out
(ne...) jamais (n)ever
jambe, f. leg
japper to yap, yelp
jardin, m. garden
jardinier, m. gardener
jarret, m. hock
jaser to gossip
jatte, f. lowsided bowl
jetée, f. jetty
jeter to throw (away)
jeu, m. game
jeune young
jeûner to fast
jeunesse, f. youth
joli pretty
jonc, m. rush
joue, f. cheek
jouer to play
jouet, m. toy
jouir to enjoy
jouissance, f. enjoyment
jour, m., journée, f. day
journal, m. newspaper
joyeux merry
jubiler to exult
juger to judge
Juif, m. Jew
jupe, f. skirt
jurer to swear
juron, m. swear-word
jusqu'à, jusque as far as, until
juste just, right, fair

— L —

là there
là-bas over there

lâche cowardly
lâcher to release, let go
laid ugly
laine, f. wool
se laisser to let (oneself)
lait, m. milk
lambeau, m. strip
lame, f. blade
lame, f. strong wave
lamentable pitiful
lancer to fling
langue, f. tongue
languissant languid
lapin, m. rabbit
larcin, m. larceny, petty theft
large wide, broad
large, m. open sea
larme, f. tear
las, lasse weary
laver to wash
lécher to lick
léger, légère light
légume, m. vegetable
lendemain, m. next day
lentement slowly
lest, m. ballast
levée, f. ridge
lever to raise
lever du soleil sunrise
se lever to stand up, get up
levier, m. lever
lèvre, f. lip
libre free
lien, m. tie, bond
se lier to bind, attach
lieu, m. place
au lieu de instead
avoir lieu to take place
lieue, f. league
ligne, f. line
limier, m. (blood)hound

lin, m. linen
linceul, m. shroud
linge, m. underwear
lis d'eau, m. water-lily
lisse smooth
lisser to preen
lit, m. bed
litière, f. (stable-)litter
livre, m. book
livrer to deliver, give
locataire, m. lodger
logement, m. lodgings
logis, m. house
loi, f. law
lointain distant
loisir, m. leisure
le long de along
longer to row near
longtemps a long time
longueur, f. length
loque, f. rag
(de) louage (for) hire
louche shady
louer to hire
loup, m. wolf
lourd heavy
lourdaud loutish
lucarne, f. attic window
lueur, f. glimmer
luire to shine
lumière, f. light
lune, f. moon
lutter to struggle
luxueux luxurious

— M —

mâchoire, f. jaw
maçon, m. mason
maçonnerie, f. masonry, bricklaying
maigre thin

maigreur, f. emaciation
maigrir to grow thin
maillet, m. mallet
main, f. hand
maintenant now
maïs, m. corn, maize
maison, f. house
maison de santé nursing home
maître, m. master
maîtresse, f. mistress
maîtriser to master
mal, m. evil
maladie, f. illness
maladif sick
maladroit clumsy
malfaiteur, m. wrong-doer
malgré in spite of
malheur, m. calamity
malice, f. evil intent, malice
malin, maligne cunning
malle, f. trunk
malpropre unsavoury
mamelle, f. dug
manche, f. sleeve
manège, m. riding-school
manger, m. food
mangeur, m. eater
manière, f. manner
manivelle, f. crank
manne, f. big basket
manque, m. lack
manquer to be wanting
ne pas manquer de not to fail to
manteau, m. coat, cloak
marais, m. marsh
marchand de vin wine merchant
marche, f. walking, progress
marcher to walk

marécage, m. swamp
marée, f. tide
marginal, m. drop-out
mari, m. husband
se marier to get married
marin, m. seaman
marine, f. navy
marinier, m. bargeman
marmot, m. brat, small child
marne, f. marl
marnière, f. marl-pit
martyre, m. martyrdom
matelas, m. mattress
matelot, m. sailor
matière, f. material, matter
matin, m. morning
maudit accursed
mauvais bad
méchant wicked
mécontent displeased
mécontentement, m. displeasure
médecin, m. doctor
médicament, m. medicine
se mêler to mingle
même even
ménage, m. married couple
femme de ménage charwoman
ménager to economize on
mener to lead
mensonge, m. lie
menu small, slender
mépris, m. scorn
mépriser to despise
mer, f. sea
mercier, m. haberdasher
merveille, f. marvel, wonder
mesquin petty

mesure, f. measure, proportion
mettre (mettant, mis) to put
se mettre à to start
meuble, m. piece of furniture
meurtri tired
meurtrier, m. murderer
mi- half-
midi, m. noon
milieu, m. middle
mine, f. appearance
faire mine de to pretend
moine, m. monk
moins less
mois, m. month
moitié, f. half
mollet, m. calf (of leg)
monde, m. world, people
mont, m., montagne, f. mountain
monter to go up; to mount
montrer to show
se montrer to prove (to be)
monture, f. mount
morceau, f. piece, bit
mordre to bite
morne gloomy
mort dead
mort, f. death
mot, m. word
gros mot coarse expression
motif, m. reason
motte, f. clod
mou (mol), molle soft, languid
mouche, f. fly
mouillé wet
mourir to die
mousse, f. froth
mouton, m. sheep

mouture, f. version, recast
mouvementé eventful
moyen, m. means, solution
muet, muette dumb, noiseless
mugissement, m. moaning
mur, m. wall
muraille, f. thick wall
muré walled up
museau, m. muzzle

— N —

nager to swim
naissance, f. birth
naître (naissant, né, je naquis) to be born
narine, f. nostril
naseau, m. nostril (of animal)
nauséabond nauseating
nécessiteux needy
ne...que only
nénuphar, m. water-lily
nerf, m. nerve
net clear, outright
nez, m. nose
niche, f. kennel
nid, m. nest
niveau, m. level
noblesse, f. nobility
noce, f. wedding
nœud coulant noose
noir black
nom, m. name
nombreux numerous
se nommer to be called
normand Norman
nouer to tie
nourrir to feed
nourriture, f. food
nouveau, nouvelle new

de nouveau once again
nouvelle, f. piece of news
nouvelle, f. short story
noyade, f. drowning
se noyer to drown
nu bare, naked
nu-pieds barefoot
nuage, m. cloud
nuire to harm, be prejudicial
nuit, f. night

ours, m. bear
outil, m. tool
ouverture, f. opening
s'ouvrir (ouvrant, ouvert) to open

— P —

paille, f. straw
pain, m. bread
paisible peaceful
paître to graze, browse
paix, f. peace
palais, m. palace
pâleur, f. pallor
pâlir to grow pale
palper to feel
pâmé in a swoon
panache, m. plume, cockade
panier, m. basket
panneau, m. panel
pantalon, m. trousers
paraître (paraissant, paru) to appear
paraître to come out, be published
parcourir to travel over
parcourir de l'œil to examine
parcours, m. distance covered
par-dessus over (the top of)
pareil similar, such
parfois sometimes
parfum, m scent, fragrance
parler to talk
parler, m. (way of) speaking
parmi amongst
paroi, f. wall

— O —

obéir to obey
obéissance, f. obedience
obscurcir to darken
obstruer to obstruct
d'occasion second-hand
s'occuper de to see to
odeur, f. smell
œuvre, f. work
oiseau, m. bird
ombre, f. shade, shadow
ondulant undulating
or, m. gold
or now, but
orage, m. storm
ordonné well-ordered
ordonner to order
ordure, f. rubbish
oreille, f. ear
orgue, m. organ
orphelin, orpheline orphan
os, m. bone
oser to dare
osseux bony
ôter to remove
où where, when
oublier to forget
ouest, m. west
ouragan, m. hurricane

paroisse, f. parish
parole, f. word
d'une part... on the one hand...
partie, f. part; party
partir to leave
parure, f. set of jewellery
parvenir to reach, succeed
pas, m. step
pas, m. pace
passant, m. passer-by
passé, m. past
passer to pass, spend time
se passer to happen
pâtée, f. dog-food, hash
pâtisserie, f. pastry
patte, f. paw
pâturage, m. pasture
paupière, f. eyelid
pauvre poor
pays, m. country
paysage, m. landscape
paysan, paysanne peasant
peau, f. skin
pêche, f. fishing
pêcher to fish
pêcheur, m. fisherman
peigner (peignant, peigné) to comb
peindre (peignant, peint) to paint
peine, f. sorrow, difficulty
pelage, m. coat, fur
pelé bald
pelle, f. spade
se pencher to bend, over, lean
pendant during
pendant que while
pendre (pendant, pendu) to hang
pénible painful, hard
péniblement with difficulty

pensée, f. thought
penser to think
pension, f., pensionnat, m. boarding school
pensum, m. written punishment
percer to pierce
percevoir (percevant, perçu) to perceive, experience
perche, f. pole
perclus crippled
perdre (perdant, perdu) to lose
permettre to allow
permis, m. permit
perroquet, m. parrot
personnage, m. character
ne... personne nobody
pesant weighty
peser to be a burden
peu, m. bit
peu de few, little
à peu près nearly
peuple, m. people, mass
peur, f. fear
peut-être perhaps
pharmacien, m. chemist
phoque, m. seal
piailler to squeal
piauler to whimper
picotement, m. pricking
pièce, f. room
pièce, f. coin
pièce de théâtre play
pied, m. foot
piège, m. trap
pierre, f. stone
pierreux stony
pincée, f. small amount
pincer to pinch
piquer to sting, spur
piquet, m. peg
piste, f. (circus) ring

pitance, f. (portion of) food

pitié, f. pity

place, f. square

plafond, m. ceiling

plaie, f. wound

plaindre (plaignant, plaint) to pity

se plaindre to complain

plainte, f. complaint

plaisanter to tease

plaisir, m. pleasure

planche, f. plank

plancher, m. floor

planer to hover

se planter to settle oneself

plat flat

plate-bande, f. flower-bed

plâtre, m. plaster

plein full

en plein(e) in the middle of

pleurer to weep

plier to curve

plomb, m. lead; (lead-)shot

plonger to plunge, dip

pluie, f. rain

plume, f. feather

plumer to pluck

la plupart the majority, most

plus more

plusieurs several

poche, f. pocket

poids, m. weight

poignée, f. handle

poil, m. hair

poilu hairy

poindre to dawn

poing, m. fist

pointe, f. tip

pointu pointed

poisson, m. fish

poitrail, m. breast (of horse)

poitrine, f. chest, breast

polisson, m. scamp

pommette, f. cheek-bone

pommier, m. apple-tree

pont, m. deck

porc, m. pig

porte, f. door

à portée de within reach of

porter to carry

porteur, m. bearer

portière, f. door (of vehicle)

poser to put

possédé, m. maniac

posséder to possess

poulailler, m. hen-house

poule, f. hen

poule sauvage moor-hen

poulet, m. chicken

poumon, m. lung

pourpre, f. purple

pourquoi why

pourri rotten

pourriture, f. decay

poursuivre to pursue

pourtant however

poussée, f. thrust

pousser to push

pousser un cri to utter a cry

poussière, f. dust

pouvoir to be able

prairie, f., pré, m. meadow

préjugé, m. prejudice

premier first

preneur, m. purchaser

prendre (prenant, pris) to take

prendre garde to pay attention

près (de) near

presque almost
se presser to hurry
prêt ready
prétendant, m. suitor
prêtre, m. priest
preuve, f. proof
prévenir to inform, warn
prévoir to foresee
prier to request
primer to award a prize to
priser to value
privé private
privé de deprived of
probant convincing
proche close, near
prochain next
produire to produce
produit, m. product
profiter de to take advantage of
profondeur, f. depth
proie, f. prey
projet, m. plan
projeter to plan
promenade, f. walk, ride
se promener to go for a walk, ride
promeneur, m. pedestrian
promesse, f. promise
promettre (promettant, promis) to promise
se promettre to promise oneself
propos, m. remark
à ce propos in this connection
à tout propos at every turn
propre clean
propre (avec possessif) own
propreté, f. cleanliness
protéger to protect
provenir de to come from
prunelle, f. pupil (of eye)

publier to publish
puis then
puisatier, m. well-sinker
puisque since, as
puissant powerful
puits, m. shaft
pupille, f. pupil (of eye)
purée, f. mash

— Q —

quand when
quand même all the same
quart, m. quarter
quartier, m. district
quasi(ment) almost
quelque some, about
quelque chose something
quête, f. collection
queue, f. tail
quille, f. keel
quitter to leave

— R —

racine, f. root
raconter to tell
radieux radiant
ragoût, m. stew
raide stiff
raison, f. reason
avoir raison to be right
raisonnement, m. reasoning
ralentir to slow down
rallumer to rekindle
ramasser to pick up
rame, f. oar
ramer to row
rameur, m. rower, oarsman
ramper to crawl

216

rang, m. rank
ranger to put away
rappeler to call back, recall, remind
se rappeler to remember
rapporter to bring back
rapporter to retrieve
se rapporter à to refer to
rapprocher to draw near
rassuré reassured
ravi delighted
rayonner to beam
réagir to react
rebaisser to lower again
rebondir to rebound
récemment recently
recevoir (recevant, reçu) to receive
recharger to reload
se réchauffer to warm oneself
recherche, f. search
récit, m. narration
réclamer to demand
se réclamer de to invoke
reconduire to take back
reconnaître (reconnaissant, reconnu) to recognize
se recoucher to go back to bed
recourbé curved
recouvrer to recover
recueil, m. collection
recueillir to pick up
reculer to draw back
redouter to dread
se redresser to stand up again
réduire to reduce
réfléchir to ponder
reflet, m. reflection
regagner to return to
regard, m. glance

regarder to look at
rein, m. kidney
se réjouir to rejoice
relever to raise (again)
se relever to rise, get up
remanier to reshape, alter
remarquer to notice
remémorer to remember
remercier to thank
remettre à to hand to
se remettre à, en to start again
remonter to pull up
remonter to row up
remplir to fill
remuer to move, wag
renard, m. fox
rencontre, f. encounter
rencontrer to encounter
se rencontrer to meet
se rendormir to go back to sleep
rendre (rendant, rendu) to give back
rendre (+ adj.) to make
renfermé uncommunicative
renfoncer to drive in again
renforcé strengthened
renoncer to give up
renouveler to renew
renseignement, m. information
rentrer to go (back) home
renverser to overturn
renvoyer to dismiss
se répandre to spread
repartir to go off again
repas, m. meal
repêcher to fish out (again)
se répercuter to reverberate

replacer to put again
replié curled up
répliquer to answer back
répondre (**répondant, répondu**) to answer
réponse, f. answer
reporter to carry back
repos, m. rest
se reposer to rest
reprendre to recover
reprendre to resume (talk)
représentation, f. performance
réserve, f. reservation
résoudre (**résolvant, résolu**) to decide
se résoudre to be solved
respirer to breathe
ressaut, m. rebound
reste, m. remainder, remains
rester to stay, remain
rétablissement, m. recovery
(en) retard late
retenir to hold back
retenue, f. dam, reservoir
retomber to fall back
retour, m. return
retourner to return, turn over
se retourner to turn round
retrouver to meet again
se réunir to join together
réussir to succeed
revanche, f. revenge
réveil, m. moment of waking
se réveiller to wake up
révéler to reveal
revenir to come back
rêver to dream
revers, m. back (of hand)
revoir to see again

se rhabiller to get dressed
rideau, m. curtain
ne...rien nothing, not anything
rien d'autre nothing else
rieur, rieuse laughing
rigole, f. small trench
rigoler to laugh, have fun
se rincer to rince
riposter to retort
rire to laugh
rivage, m. shore, bank
rive, f. bank
rivière, f. river
robe, f. dress
roc, m.; roche, f.; rocher, m. rock
rôder to prowl
rôdeur, m. prowler
roman, m. novel
romancier, m. novelist
ronce, f. bramble-bush
rond round
(faire) une ronde round
ronflant (**fig.**) high-sounding
ronfler to snore
roquet, m. cur
roseau, m. reed
rosse, f. nag
rossée, f. thrashing
rôtir to roast
roue, f. wheel
roué soundly thrashed
roulement, m. rumbling
rouler to roll (over)
route, f. road
en route ! off we go!
roux, rousse red-haired
ruban, m. ribbon
rudement harshly
rue, f. street

ruer to kick out (of animal)

se ruer to rush

ruisselant streaming

rumeur, f. rumour

rumeur, f. murmur, hum

rusé sly

— S —

saccadé jerky

sacrebleu ! by Jove!

sacrer to curse

saignant bleeding

saillant jutting out

saisir to seize

saisissement, m. shock

saison, f. season

sale dirty

saleté, f. dirt

salle, f. room

sang, m. blood

sanglant blood-stained

sangle, f. strap, saddle-girth

sangloter to sob

sans without

sans-le-sou penniless

santé, f. health

sapeur, m. sapper

sarcelle, f. teal

saut, m. leap

sauter to jump

sauvage wild

sauver to save

se sauver to run away

savoir (sachant, su) to know

savon, m. soap

scie, f. saw

seau, m. bucket

sec, sèche dry

se sécher to dry (oneself)

se secouer to shake (oneself)

secours, m. help

au secours ! help!

secousse, f. shudder, jolt

séculaire age-old

séculier secular

seigneur, m. lord

sein, m. breast

séjour, m. stay

séjourner to stay

sel, m. salt

selle, f. saddle

semaine, f. week

semblable similar

faire semblant de to pretend to

sembler to seem

sensiblerie, f. sentimentality

senteur, f. smell

sentier, m. path

se sentir to feel; smell

serment, m. oath

serrer to tighten, clasp

servir à, de to be used for

seul alone

seulement only

si, if

si emphatic yes

siècle, m. century

siège, m. seat

siffler to whistle

silencieux silent

silex, m. flint

soie, f. silk

soif, f. thirst

soigner to take care of

soin, m. care

soir, m. evening

soirée, f. (au théâtre) performance

sol, m. ground
soldat, m. soldier
soleil, m. sun
solitude, f. loneliness
sombre gloomy, melan-
cholic
sommeil, m. sleep
sommeiller to doze
sommet, m. summit, crest
son, m. sound
sonder to probe, examine
songer à to think of
sonnant(es) on the stroke
of
sonner to ring, sound
sonnerie, f. sounding, ring-
ing
sort, m. fate
sortir to go out, get out
sou, m. coin of little value
soubresaut, m. sudden leap
souci, m. care
soudain suddenly
souffle, m. breath
souffler to blow
souffrance, f. suffering
souffrir (souffrant, souffert)
to suffer
souiller to soil, defile
tout son soûl to one's
heart's content
soulager to relieve, lighten
soulever to lift
se soulever to rise
soulier, m. shoe
souligner to underline
soupçonner to suspect
soupçonneux suspicious
soupente, f. recess, bunker
soupière, f. soup-tureen
sourd deaf
bruit sourd thud
sourire to smile

sournois cunning
sous under
sous-pied, m. foot strap
sous-vêtement, m. under-
wear
soutenir to hold up, prop
up
se souvenir de
to remember
souvent often
subitement suddenly
subvenir to defray
sucre, m. sugar
suer to sweat
sueur, f. sweat
suffire (suffisant, suffi) to
suffice
(tout de) suite at once
suivant according, following
se suivre to follow
sujet, m. subject
supporter to bear
sur on, over
sûr sure
surgir to spring out
surprendre to surprise,
catch sb. unawares
sursaut, m. start
surtout especially
surveiller to watch (over)
survenir to occur, arrive

— T —

tableau, m. picture
tablier, m. apron
tache, f. blob (of colour)
tâche, f. task
tâcher de to strive to
tailler to trim
taillis, m. copse

se taire (taisant, tu) to be silent, say nothing
talon, m. heel
talus, m. bank
tandis que while, whereas
tant so much
tantôt...tantôt sometimes...
tant pis never mind
taon, m. horse-fly
se taper dans la main to shake on it
tard late
tarder to delay
tas, m. pile, heap
tasse, f. cup
tâter to feel
teint, m. complexion
tel, telle such
tellement to such a degree
témoigner to display, show
témoin, m. witness
tempe, f. temple
temps, m. time; weather
tenailles, f. pl. pincers
tendre (tendant, tendu) to stretch (out)
tendresse, f. tenderness
ténèbres, f. pl. dark(ness)
tenir to hold
tentative, f. attempt
tenter to attempt, tempt
terne dull
terrain, m. ground
terre, f. earth
à, par terre on the ground
terreux earthy
terre-neuve, m. Newfoundland, dog
terrier, m. burrow
tête, f. head
tiédeur, f. warmth
tiens ! look!
tiercelet, m. male falcon

tir, m. shooting
tiraillement, m. gnawing
à tire-d'aile swiftly
tirer to shoot at
tirer to pull
tirer de to take out of
se tisser to weave
titre, m. title
toison, f. fleece, hairs
toit, m. roof
tombée du jour end of the day
tomber to fall
ton, m. tone
tonnant booming
tonnerre, m. thunder
torchon, m. dish-cloth
tord-boyaux, m. rotgut
tordre to twist
se tordre to twist about
tôt soon, early
touffe, f. cluster
toujours always
tour, m. turn
(se) tourner to turn
tournoyer to wheel
tousser to cough
tout à fait altogether, quite
toux, f. cough
tracasser to worry
trahir to betray
(être en) train de (to be) in the process of
à fond de train at full speed
traîner to drag, linger, trail
trait, m. trait; streak
traiter to treat
traiteur, m. eating-house owner
traître, m. traitor
tranchant sharp

tranchée, f. trench
se trancher to cut
se transmettre to be transmitted
transparaître to show through
transpirer to perspire
trapu squat
traquer to track down
travailler to work
à travers across
de travers awry
traverser to cross
tremper to soak, dip
trépidant agitated
trépigner to dance about
tressaillir to give a start
tripotée, f. a licking
trisaïeul, m. (great)-great-grandfather
triste sad
trompe, f. hunting-horn
tromper to deceive; be unfaithful to
se tromper to be mistaken
en trompette turned up
tronc, m. trunk
trottiner to trot along
trou, m. hole
troupeau, m. herd
trouver to find
se trouver to be
truc, m. trick, scheme
tuer to kill
tuile, f. tile

— U —

unir to unite
usagé used
usé worn out

user de to make use of
usité in use

— V —

va ! va-t'en ! go! go away!
vache, f. cow
vague, f. wave
vaincre (vainquant, vaincu) to vanquish
valet, m. (de ferme) farm-hand
vallon, m. vale
valoir (il vaut) to be worth
valoir mieux to be better
va-nu-pieds, m., f. beggar
vapeur, f. vapour, steam
vase, f. slime
vautour, m. vulture
veille, f. the day before
veiller sur to take care of
velu hairy
vendeur, m. seller
vendre (vendant, vendu) to sell
se venger to revenge oneself
vengeresse vengeful
venir to come
vent, m. wind
vente, f. sale
ventre, m. abdomen, belly
vêpres, f. pl. vespers
ver, m. worm
verdoyant verdant
vérité, f. truth
vermoulu worm-eaten
vernis, m. varnish
verre, m. glass
vers towards
verser to shed, pour

vêtement, m. piece of clothing
vêtu de clad in
veuve, f. widow
viande, f. meat
vibrer to vibrate
vider to empty
vie, f. life
vieillard, m. old man
vieillesse, f. old age
vieux, vieil, vieille old
vif, vive lively
vigne, f. vine(yard)
vin, m. wine
visage, m. face
viser to aim
vite fast, quickly
vitesse, f. speed
vitre, f. window-pane
vivant alive
de son vivant in his lifetime
vivement briskly
vivifiant bracing
vivoter to live poorly
vivre (vivant, vécu) to live
vœu, m. vow
voici here is
voie, f. way, road
voilà there is
voile, m. veil

voile, f. sail; sailing
voilé veiled
voir (voyant, vu, je vis) to see
voisin, m. neighbour
voiture, f. vehicle, car
voix, f. voice
vol, m. theft
volaille, f. poultry
voler to fly
voler to steal
volet, m. shutter
volontiers readily
vouloir to want
voûte, f. vault, arch
voyage, m. journey
voyageur, m. traveller
voyageur de commerce travelling salesman
vrai true
vu que seeing that
vue, f. sight
vulgairement commonly

— YZ —

yeux, m. eyes
zut ! hang it! no go!

Composition réalisée par COMPOFAC - PARIS

IMPRIMÉ EN FRANCE PAR BRODARD ET TAUPIN
Usine de La Flèche (Sarthe).
LIBRAIRIE GÉNÉRALE FRANÇAISE - 6, rue Pierre-Sarrazin - 75006 Paris.

ISBN : 2 - 253 - 05581 - 6   ◈ 30/8636/0